Hôtel Princess Azul

Piñata, dauphins et Ritalin

Guy Saint-Jean Éditeur
3440, boul. Industriel
Laval (Québec) Canada H7L 4R9
450 663-1777
info@saint-jeanediteur.com
www.saint-jeanediteur.com

....

Catalogage avant publication de Bibliothèque et Archives nationales du Québec
et Bibliothèque et Archives Canada

Turenne, Martine, 1964-
Hôtel Princess Azul
Sommaire : t. 2. Pinata, dauphins et Ritalin.
ISBN 978-2-89455-793-8 (vol. 2)
I. Turenne, Martine, 1964-   . Pinata, dauphins et Ritalin. II. Titre. III. Titre : Pinata, dauphins
et Ritalin.
PS8639.U727H67 2013   C843'.6   C2013-941490-8
PS9639.U727H67 2013

....

*Nous reconnaissons l'aide financière du gouvernement du Canada par l'entremise du Fonds
du livre du Canada (FLC) ainsi que celle de la SODEC pour nos activités d'édition. Nous
remercions le Conseil des Arts du Canada de l'aide accordée à notre programme de publication.*

Canada   ▮◆▮ Patrimoine Canadian   SODEC ▦▦   Conseil des Arts du Canada   Canada Council for the Arts
                     canadien   Heritage   Québec   du Canada

Gouvernement du Québec – Programme de crédit d'impôt pour l'édition de livres – Gestion SODEC

© Guy Saint-Jean Éditeur inc. 2014

Édition : Isabelle Longpré
Révision : Lydia Dufresne
Correction d'épreuves : Claire Jaubert
Conception graphique de la couverture : Christiane Séguin
Infographie : Olivier Lasser
Illustration de la page couverture : Lucie Crovatto

Dépôt légal — Bibliothèque et Archives nationales du Québec, Bibliothèque et Archives
Canada, 2014
ISBN : 978-2-89455-793-8
ISBN ePub : 978-2-89455-794-5
ISBN PDF : 978-2-89455-795-2

DISTRIBUTION ET DIFFUSION
Amérique : Prologue
France : Dilisco S.A./Distribution du Nouveau Monde (pour la littérature)
Belgique : La Caravelle S.A.
Suisse : Transat S.A.

Imprimé et relié au Canada
1re impression, janvier 2014

 Guy Saint-Jean Éditeur est membre de l'Association
nationale des éditeurs de livres (ANEL).

MARTINE TURENNE

Hôtel Princess Azul

TOME 2

Piñata, dauphins
et Ritalin

Guy Saint-Jean
ÉDITEUR

Dimanche

Lorsque l'alarme de son *iPhone* sonna à deux heures du matin, comme chaque dimanche depuis son arrivée au Princess Azul, Geneviève Cabana était en train de faire le plus étrange des rêves.

Elle circulait en voiture sur le boulevard René-Lévesque Ouest, lorsqu'elle remarqua un bus qui collait dangereusement son pare-chocs arrière. Elle n'était pourtant pas dans la zone réservée aux bus de la STM, alors quel était le problème?

Soudain, le bus enfonça l'arrière de sa voiture. *Par exprès*, semblait-il. Geneviève tenta d'arrêter son véhicule pour aller constater les dégâts, mais le bus continuait d'enfoncer son pare-chocs. On entendait le bruit de la tôle qui s'écrasait.

«C'est quoi ce malade?» se dit Geneviève. Elle réussit tant bien que mal à sortir de sa voiture, toujours poussée par le bus fou, et prit une grosse roche qui traînait dans la rue. Elle la projeta dans le pare-brise du bus, qui vola en éclat. Elle vit le chauffeur. Il était hilare.

Aussitôt, elle entendit le bruit d'une sirène de police et se dit que la meilleure option était la fuite.

Elle embarqua dans sa voiture, qui s'était finalement immobilisée, puis partit en trombe. Elle alla se réfugier dans une buanderie. Elle se mit à y faire la conversation avec tout un chacun, tout en feignant de laver des vêtements. Lorsqu'elle vit les policiers débarquer, elle s'envola au plafond de l'établissement et devint invisible. C'est au moment où elle circulait incognito à travers la demi-douzaine de membres des forces constabulaires que l'alarme la tira de son étrange position...

Ça n'était pas la première fois qu'elle faisait ce genre de rêve déjanté lors de ses nuits écourtées du dimanche, alors qu'elle devait aller accueillir son nouveau groupe de la semaine, à l'aéroport de Punta Cana.

Ces quelques heures semblaient propices à lui envoyer d'étranges signaux. Dans ce cas-ci: l'agression, la fuite, puis la disparition de la scène publique. Était-ce ainsi que la psy en elle pouvait interpréter son séjour à l'hôtel Princess Azul?

Elle chassa vite de son esprit ses pensées noires et s'habilla rapidement. La cohorte n° 28 était à la veille d'atterrir. Et le vol TA632 transportait des passagers bien spéciaux.

— Ton père et ta belle-mère? Mon Dieu, tu ne vas pas t'ennuyer cette semaine, ma belle!

Rosie, la collègue de Geneviève, avait toujours de ces petits mots d'encouragements.

— Mon ex-belle-mère, rectifia-t-elle. Je suis séparée de son fils depuis quinze ans. Ça fait des relations beaucoup plus harmonieuses, crois-moi. Et puis elle s'entend tellement bien avec papa. C'est un soulagement pour moi qu'elle ait accepté de venir célébrer avec lui ses quatre-vingts ans au Princess Azul.

— Ton père va avoir quatre-vingts ans… Ça ne nous rajeunit pas tout ça.

«En tout cas, ça ne me rajeunit pas, moi», se dit Geneviève, soudain atterrée par cette évidence. Dans quelques mois, elle fêterait ses quarante-neuf ans. Dernière année avant le terrifiant changement de décennie. Quarante ans, c'était une promenade dans le parc, à côté de ce qui l'attendait.

Les deux femmes étaient plantées aux abords des arrivées à l'aéroport international de Punta Cana. Le groupe qui venait de quitter l'avait fait sans encombre, ce qui était aussi rare qu'apprécié. Il est vrai que l'un des fauteurs de troubles de l'aéroport était désormais à la retraite forcée.

Chorizo…

Des sons de verre brisé provenant du coin sud de l'aéroport rappela à Geneviève l'existence du berger allemand. Il venait de renverser une poubelle et l'un des policiers de l'aéroport, était-ce R. Ezbequiel qui le réprimandait tout doucement?

Après plusieurs fâcheux incidents impliquant le chien renifleur de drogues et explosifs de l'aéroport, celui-ci avait dû subir un examen complet chez un vétérinaire. Chorizo avait été déclaré inapte au travail. Il souffrait de stress, dû sans doute à un état semi-épileptique asymptomatique et donc non diagnostiqué. Cette pathologie compromettait son jugement. Il confondait les odeurs et était devenu paranoïaque.

Mais les policiers de l'aéroport de Punta Cana lui étaient très attachés. Ils avaient embauché un jeune chien pour faire le boulot, un dénommé Salsichon, et avaient gardé Chorizo comme mascotte. On lui avait enfilé au cou un coquet foulard aux couleurs du drapeau dominicain, bleu et rouge. Le chien prenait désormais des barbituriques, ce qui régularisait ses humeurs, mais lui ouvrait l'appétit de manière excessive. Il faisait littéralement les poubelles, ses nuits de – fausse – veille.

C'était adorable.

— Je suis tellement contente que ce chien ne soit plus en service, dit Rosie, en observant Chorizo mordre à pleines dents dans un restant de ce qui semblait être un burger. Les derniers temps, je craignais le pire à chaque fois qu'il reniflait la valise d'un client... Tu te souviens avec ton cousin?

Là-dessus, Rosie pouffa de rire. Il faut dire que l'arrestation du docteur Pierre Sansregret, survenue cinq mois plus tôt, avait bien fait rigoler les deux femmes après coup, car Geneviève avait dû gérer la « crise » de sa valise pleine de « drogues ».

— Bon, les voilà.

Les portes automatiques s'ouvrirent sur une centaine de passagers hagards, visiblement épuisés, et de mauvaise humeur.

C'était un groupe standard, de tous les âges, contrairement à la horde d'enfants débarqués la semaine précédente, lors de la relâche scolaire. Un moment difficile pour Geneviève, non seulement parce que les demandes des clients étaient inhabituelles (« Y a-t-il du beurre d'arachide dans ce poulet dominicain? », « Pourquoi n'y a-t-il pas de crayons à colorier au buffet? », « Mon enfant a peur des poissons. Peut-on trouver un coin où il y en a moins? »), mais aussi parce que la vue de ces bambins l'avait rendue nostalgique. Elle avait vécu de ces doux moments dans un tout inclus avec les jumeaux lorsqu'ils étaient petits. Certes, ça n'avait pas toujours été de tout repos, surtout le séjour à la Riviera Maya, en 1996, lorsque la varicelle avait frappé coup sur coup Anne, puis Balthazar. Ils avaient dû passer des heures dans des bains d'Aveeno plutôt que de profiter de la plage. Quand l'un était dans sa phase aiguë, l'autre devait patienter en regardant à la télé des émissions mexicaines. «Mais c'est fou comme la mémoire est sélective», se disait-elle, puisqu'elle ne repensait qu'aux bons moments de cette semaine-là.

— C'est pas eux, là?

Rosie pointa un trio de vieilles dames, toutes habillées de la même manière (des joggings aux couleurs vives et des coupe-vent kaki). Elles avançaient vers Geneviève, qui tenait sa pancarte de Tour Exotica à la main, déconcertées, comme si elles avaient été mises par erreur dans un avion alors qu'elles étaient attablées dans un Saint-Hubert.

— On cherche un vieux monsieur et une vieille dame, rétorqua Geneviève en souriant.

Elle commençait à s'inquiéter. Le groupe semblait complet. Geneviève et Rosie étaient désormais entourées de leurs clients respectifs. Elles surent qu'il neigeait à plein ciel lors de leur départ de Montréal, et que les températures avoisinaient moins dix degrés.

La porte automatique ne s'ouvrait plus.

Nulle trace de Marcel et de Rose-Desneiges.

«Bordel», se dit Geneviève, «papa a probablement oublié de refaire son passeport, échu depuis douze ans, comme je lui ai répété cent fois. Ou bien il a oublié l'avion, ou il l'a raté, parce qu'il a quitté trop tard la résidence du Crépuscule bienveillant».

Elle en était à imaginer le pire – une arrestation aux douanes pour un crime commis des années plus tôt, ou encore la découverte d'un AK-47 lors de la fouille des bagages –, lorsque les portes s'ouvrirent de nouveau. Un agent de bord poussait un fauteuil roulant dans lequel était assise une vieille dame corpulente, les cheveux gris noués en chignon. Derrière eux trottait un monsieur âgé, l'air ahuri et les cheveux en désordre.

Son père.

— Geneviève, ma belle belle-fille !

Desneiges hurlait son nom alors que l'agent de bord, un type efféminé et démesurément grand, conduisait sa belle-mère à vive allure, visiblement pressé d'en finir.

Geneviève aurait préféré des retrouvailles plus discrètes – elle était en devoir après tout –, mais bon, toute cette effusion était bien normale après presque sept mois de séparation.

— Desneiges, que fais-tu là-dedans ? Elle a eu un malaise ? demanda Geneviève, inquiète, à l'agent.

— Pas du tout, répondit-il aussitôt. Mais la dame était fatiguée, alors on lui a donné un petit coup de main… Avec tout ce qu'elle a mangé et bu dans l'avion, ça ne m'étonne pas ! ajouta-t-il sur le ton de celui qui confie à la maman d'une bambine de deux ans et demi ses frasques de la journée à la garderie.

— Il y avait beaucoup de choses à manger, n'est-ce pas ? C'était bon, bon, bon, hurla-t-il aux oreilles de l'ex-belle-mère.

— Ma fille !

Marcel Cabana avait rejoint le petit groupe et Geneviève lui sauta dans les bras. Elle ne l'avait pas vu depuis si longtemps ! Les jumeaux étaient venus passer une semaine au Princess Azul, à Noël, et son amie Isabelle avait fait la même chose en novembre. Mais son père avait attendu cet événement spécial – son quatre-vingtième anniversaire – pour enfin prendre l'avion direction sud.

Elle le serra dans ses bras et trouva qu'il avait maigri. Elle eut le cœur serré. Se laissait-il mourir de faim, seul au Crépuscule bienveillant, sans sa fille pour venir le visiter une fois par semaine? Au moins, il était adéquatement vêtu: il portait un polo bleu ciel sous un coupe-vent d'un bleu plus foncé, des pantalons de coton beige tirant sur le café, et des mocassins dans les mêmes teintes. Elle reconnut les achats faits en sa compagnie, huit mois plus tôt, lors des Jours La Baie au Centre Rockland.

— Qu'est-ce qui est arrivé à tes orteils, ma fille? demanda Marcel.

— Mes orteils? Ah! Oui, ça... Eh bien! C'est une fantaisie des filles du Centre d'esthétique. Ça va partir dans quelques jours, papa, ne t'inquiète pas.

Geneviève était un peu abasourdie que son père, après six mois de séparation, observe en premier lieu les pieds de sa fille, mais elle mit le tout sur le compte de la fatigue du voyage.

Il est vrai que le vernis à ongles qu'elle portait aux orteils était d'une couleur, disons, spectaculaire. Un vert émeraude éclatant, tacheté d'étoiles dorées. Toutes les agentes du Princess Azul avaient été conviées, à tour de rôle, au Centre d'esthétique durant la semaine. On leur avait fait un pédicure royal et mis un des vernis de la collection parmi ceux qui se vendaient le moins, «histoire de le promouvoir auprès de la clientèle», avait expliqué la pédicure, Fernanda. Elle avait eu pour consigne de liquider le stock avant de pouvoir commander les nouvelles couleurs en vogue du printemps.

Geneviève se considérait chanceuse: sa collègue Sylvia avait les ongles noir ébène, tandis qu'Olessia avait les siens peints en jaune, ce qui l'avait consternée.

Desneiges fut libérée de son fauteuil – ou était-ce le fauteuil qui s'était libéré d'elle? se dit Geneviève, en entendant les ressorts grincer sous le poids de sa belle-mère. Celle-ci émit un rot sonore, ce qui fit grand effet sur le groupe d'une soixantaine de personnes.

— C'est la paëlla! dit Desneiges en souriant à la volée.

Le groupe de Rosie était déjà à bord du bus et Geneviève jugea qu'il était temps que tout le monde aille se coucher.

Ce qu'elle fit elle-même autour de cinq heures, ce qui était la norme lors de l'arrivée d'un nouveau groupe. Il y avait toujours quelques déceptions, même dans un hôtel du calibre du Princess Azul. Mais c'était la première fois qu'elle entendait une telle demande: un couple en voyage de noces – du moins c'est ce que le voyagiste Tour Exotica avait noté sur la liste envoyée à Geneviève – qui exigeait une chambre avec deux lits simples, plutôt que le magnifique *king size*. Qu'avaient-ils fait des chocolats en forme de cœur mis sur leur taie d'oreiller? Les avaient-ils jetés par la fenêtre?

Puis, deux jeunes femmes avaient été déçues de ne pas recevoir de «cocktails d'accueil alcoolisés avec des guitaristes chantant», comme dans les films. À quatre heures du matin, tout le monde dormait, leur répondit Geneviève. Il y aurait de la musique le lendemain matin, soyez sans crainte, de même que des cocktails alcoolisés.

Mais au moins ce groupe s'annonçait des plus enthousiastes, du moins si on se fiait à l'indice d'applaudissements mis au point par Rosie.

Comme chaque semaine, elle s'était enquise auprès du pilote du TA632 du niveau d'applaudissements reçus lors de l'atterrissage. Il avait été exceptionnellement élevé, lui avait-il dit, ce qui signifiait un groupe heureux et pas trop critique. Mais la tempête de neige qui frappait le Québec venait brouiller les cartes : leur bonheur n'était peut-être dû qu'à la joie d'avoir fui une semaine de pelletage, de froid et d'embouteillages.

À neuf heures, elle émergea péniblement de son sommeil, sans rêve cette fois. Du moins elle ne s'en souvenait plus. «Tant mieux!» se dit-elle, encore troublée par celui de la première partie de sa nuit, celui du bus fou qui tentait d'emboutir son véhicule.

Mais le chauffeur de bus hilare avait désormais pris les traits de Sylvain Lemieux. L'homme par qui son malheur était arrivé. Le responsable de son exil. Celui qui avait porté plainte contre elle pour «coups et blessures» et «injures», ce qui lui avait valu deux ans de radiation de l'Ordre des psychologues.

Mais Geneviève chassa rapidement ces sombres pensées. Son père était avec elle pour la semaine. Et elle avait appris à aimer son travail, «une job de marde», comme lui avait dit gentiment son fils Balthazar, lors de son séjour à Noël, alors qu'il en était à son sixième margarita.

La première séance d'information de son nouveau groupe était à dix heures, dans une petite salle de l'hôtel s'ouvrant sur un jardin luxuriant. L'endroit avait malheureusement pâti de l'incendie qui avait détruit complètement l'exquis restaurant japonais, trois semaines plus tôt, puisqu'il lui était attenant. La cuisson d'un teppanyaki de boeuf, qui provoquait à tout coup de spectaculaires flammes, en raison d'une huile très rare importée directement du Japon, avait mal tourné : le cuisinier, un stagiaire, avait renversé l'huile en feu sur le plancher de bois rustique. L'incendie s'était répandu à grande vitesse. Comble de malchance, l'un des garçons qui se promenaient avec un extincteur de feu était au petit coin et l'autre, en train d'honorer l'une des jeunes cuisinières. C'est ce qu'une enquête interne révéla par la suite. Heureusement, personne ne fut blessé, mais on retrouva deux membres félins du Clan Corleone dans les débris au petit matin. Les chats étaient morts par asphyxie.

Toujours est-il que le réputé Fuzion Japonese du Princess Azul n'allait pas être opérationnel avant un bon mois.

Ce qui choqua plusieurs clients ce matin-là.

— Ma belle-sœur m'a recommandé de venir ici juste pour ce restaurant, s'insurgea une femme outrée, se présentant comme Nancy Paquette. Sinon, j'aurais été au Grand Palladium Tropical Miracle Occidental, qui était en promotion cette semaine !

— Je suis désolée, dit Geneviève, soucieuse de calmer le jeu et contrariée par l'allusion au principal concurrent du Princess Azul. Vraiment. Mais il y a d'autres restaurants à la carte, très réputés. Je vous conseille fortement un tout nouvel établissement sur le site, le Brrr ! Il s'appelle ainsi, car c'est un concept de produits congelés/décongelés/recongelés/redécongelés. Très tendance. Un genre de cuisine post-moléculaire. Sa carte a été validée par le chef cuisinier du Princess Azul, un Catalan qui a déjà travaillé pour le célèbre Ferran Adrià, du restaurant elBulli, le meilleur au monde jusqu'à récemment…

Geneviève se garda bien de révéler la rumeur qui circulait dans l'hôtel au sujet de ce bref passage du chef Pep Bolufer chez le célébrissime cuisinier : il aurait tenté d'empoisonner, à coups de champignons magiques, des clients qui s'étaient plaints d'avoir retrouvé dans leurs tapas des traces de son abondante – et souvent très grasse – chevelure.

Autre pépin cette semaine : les ateliers de poterie Taïno étaient suspendus jusqu'à nouvel ordre, un client coréen s'étant brûlé la semaine précédente lorsqu'il avait pris la porte du four géant pour celle des toilettes (il était malvoyant, une information que son voyagiste n'avait pas communiquée). Accusé de négligence, l'animateur de l'atelier, un faux Taïno importé du Yucatán (il restait peu de véritables descendants de l'ethnie précolombienne en République dominicaine), faisait maintenant une grève de la faim en guise de protestation. Mais vu son surpoids, son geste passait pour le moment inaperçu.

Mais il y avait d'innombrables autres activités sur le site du Princess Azul, poursuivit Geneviève, enthousiaste, et d'autres, en dehors de ce lieu enchanteur, dont les valeurs sûres qu'étaient le spa maritime du Doctor Fish et la nage avec les dauphins au Manatí Park.

La séance d'information suivante était à midi, pour ceux qui faisaient la grasse matinée en raison de leur nuit écourtée. Geneviève passa brièvement à son bureau, au cas où il y aurait des urgences, puis chercha son père et sa belle-mère à la piscine, là où elle leur avait donné rendez-vous. Ils n'y étaient pas encore. Sans doute se reposaient-ils dans leur chambre respective, située côte à côte dans l'aile B du tout inclus, soit le plus près de la piscine. Elle soupçonnait que son père et sa belle-mère allaient y passer le plus clair de leur temps.

Le don Juan du Princess Azul, Gonzalo Resurrección, était déjà à l'œuvre avec un petit groupe de femmes et un seul homme. Celui-ci semblait perdu et incompétent, sentiments que provoquait souvent, chez ces messieurs, la présence de l'instructeur de plongée en apnée. Il faisait toujours fureur chez les clientes de l'hôtel. Il n'avait eu que deux mois de «purgatoire», comme il le disait lui-même, au moment où son crâne, rasé par une cliente de Geneviève, amoureuse éconduite, avait fait tarir quelque peu son charme autrement irrésistible. Mais les boucles étaient revenues, elles avaient été à nouveau blondies, et avec elles, le formidable pouvoir d'attraction de cet adonis dominicain. Et si Gonzo les conservait désormais plus courtes, il n'en était que plus séduisant.

Plusieurs fois, Geneviève avait voulu savoir ce que sa cliente, une dénommée Rachel Bibeau, avait bien pu lui faire lors de sa courte séquestration, cinq mois plus tôt. Il en était ressorti la tête rasée, les ongles peints en noir et le corps couvert de cœurs dessinés au crayon rouge. Mais Gonzo était resté muet. Et les rumeurs allaient bon train...

— Il y a des vieilles ce matin à la piscine qui se disent Canadiennes, est-ce que l'une d'elles est ta belle-mère? lui demanda Gonzo, en pointant trois femmes dans les soixante-dix ans, étendues sur des chaises longues.

Il s'agissait effectivement de clientes de Geneviève, trois sœurs qui étaient venues saluer l'agente le matin même avant la séance d'information. Elle ne se souvenait plus de leurs prénoms – il y avait une Cécile et une autre avec un nom se terminant en «ette» –, mais Geneviève avait retenu ce détail: elles étaient les petites dernières d'une famille de douze enfants et elles avaient respectivement soixante et onze, soixante-douze et soixante-treize ans. «Vos parents ont-ils acheté une télé après ça?» avait demandé Geneviève en riant, mais la blague était tombée à plat. Les sœurs vivaient toutes trois à Blainville, et Geneviève les avait déjà mentalement surnommées «Les triplettes de Blainville».

— Non, elle n'est pas là... J'imagine qu'elle et mon père dorment encore.

— Ensemble? demanda Gonzo en lui faisant un clin d'œil.

L'idée que sa corpulente ex-belle-mère et son père puissent... non, c'était de l'ordre de l'insupportable. Geneviève fit une grimace.

— Gonzo, s'il te plaît! Ils ne partagent même pas la même chambre! Et puis je ne veux pas savoir!

Elle avait dû utiliser la même stratégie lorsque le don Juan s'était mis à faire des allusions qu'elle jugeait complètement déplacées au sujet des virées nocturnes qu'il avait faites avec son fils Balthazar, lors de son séjour à Noël. Les deux avaient eu l'air de bien s'amuser. Trop. Mais elle avait signifié à Gonzo qu'elle ne tolérerait aucun détail. La vie sexuelle de son fils, comme celle de sa fille, de son père, de sa belle-mère ou de ses chats, était un non-sujet, une abstraction qui devait demeurer ainsi.

— À tout événement, il fait chaud, ma fille...

Marcel Cabana était assis à une table du restaurant du buffet, le teint livide, presque gris, des sueurs perlant sur son front, la respiration haletante. Geneviève commença à regretter de l'avoir fait venir dans cette fournaise tropicale. Le soleil était trop fort pour un octogénaire nordique. Il n'avait jamais pris de vacances dans le Sud, hormis une semaine à Fort Lauderdale, il y avait au moins vingt-cinq ans. Il se plaignait de la chaleur à chaque séjour de la famille dans le Maine, au climat pourtant frisquet comparé à celui de Punta Cana. Des vacances réussies, pour Marcel, consistaient en un camp de pêche sur un quelconque réservoir du Nord québécois, avec des moustiques géants et des poissons visqueux.

— Si tu restes près de la piscine, papa, tu te sentiras mieux. Et il y a toujours du vent près de la mer.

— Moi, j'adore ça! J'adooooore ça!

Desneiges était intarissable depuis que le trio s'était attablé pour le lunch.

Tout d'abord, le buffet l'avait enthousiasmée. Les fruits exotiques, les fruits de mer en quantité et les spécialités locales comme le yucca ou les bananes plantains, tout était pour elle source de sujets pour son blogue. Labonnebouffe.com connaissait des sommets de popularité, avec quelque dix mille visites par jour. Desneiges avait annoncé à toute sa communauté son séjour au Princess Azul et elle avait promis une entrée quotidienne avec photos, vidéos et anecdotes.

Vêtue d'un chemisier aux motifs de marguerites et d'une ample jupe orange, son ex-belle-mère ne passait pas inaperçue.

— Miam… C'est bon, mais il manque un petit quelque chose, dit-elle en enfournant une gigantesque bouchée de lasagne au poulet cajun.

Marcel touchait à peine à sa nourriture. Il semblait se liquéfier. Geneviève lui proposa une bière.

— À tout événement, il n'est pas encore cinq heures, ma fille…

— Papa, tu es en vacances!

— Je suis toujours en vacances, tu sauras. Le Gouvernement m'a obligé à prendre ma retraite.

— Le Gouvernement… Papa, tu as vendu ta quincaillerie à soixante-dix ans passés, personne ne t'a obligé.

— Et t'as vu ce qu'ils ont fait avec? Un marché d'halal…

Il est vrai que l'ancienne quincaillerie du Centre Salaberry était devenue un supermarché libanais, spécialisé dans les produits halal. Le reste du centre commercial ne payait pas de mine. Devant la concurrence des Galeries Normandie, juste en face, la plupart des commerçants avaient plié bagage. Dont le cordonnier Aladin, où Geneviève avait acheté ses souliers jusqu'à tard dans son adolescence, au moment où elle avait découvert Aldo et Pegabo.

Bon, il était temps de changer l'humeur de son père. Elle alla chercher trois bières au buffet.

Elle croisa le couple de nouveaux-mariés-qui-voulaient-deux-lits-simples. Ils étaient présents à la réunion de midi, celle des tardifs. Les dénommés David Simard et Annie Dion s'étaient tous deux avérés d'enthousiastes clients. Surtout madame.

— Geneviève! Salut! dit la femme, une rousse dans la mi-trentaine, vêtue d'un simple bikini. J'aime tellement ça ici, c'est le paradis!

Son mari, un homme de taille moyenne, bien proportionné et visiblement en forme, était lui aussi tout sourire.

— On adore ça! Et ma femme est une experte des tout inclus, alors c'est pour vous dire.

Ses trois bières à la main, Geneviève retournait vers sa table lorsqu'elle croisa un autre de ses clients, qui semblait très affairé celui-là, et un peu égaré, aussi. Âgé fin quarantaine, début cinquantaine, il déambulait parmi les comptoirs de nourriture d'un pas saccadé, quasi militaire. Il portait des vêtements un peu lourds pour la chaleur de cette journée de mars, un pantalon kaki et un t-shirt au coton épais, quoique dans le ton : on y voyait un majestueux dauphin en train de plonger dans l'océan.

Geneviève l'avait remarqué parce qu'il semblait seul – ce qu'elle allait vérifier à son bureau pas plus tard que cet après-midi – et quelque peu décalé par rapport aux autres clients. Elle ne saurait dire pourquoi. Son attitude d'un gars qui n'avait pas l'air en vacances? Mais on n'était que dimanche, certains voyageurs prenaient des heures, voire des journées avant de réaliser dans quel paradis ils venaient d'atterrir. Il avait cependant du charme, c'était indéniable, avec une mâchoire carrée, des cheveux châtains coupés courts, un regard acier et un corps athlétique. Intrigant.

La bière fit le plus grand bien à Marcel Cabana. À mesure qu'il buvait, il émergeait de son état comateux et sa langue se déliait.

— Ma fille, est-ce que tu as su pour ton Balto?

— Balthazar? Non, quoi?

Geneviève détestait les surprises lorsqu'il s'agissait de son fils.

— Il a été acheté par une princesse arabe! s'exclama Desneiges.

— Par qui?

— Une de ses toiles a été achetée par une princesse arabe, continua son père, une fille du désert, tu sais, avec du pétrole qui lui sort par les narines.

— Mon Dieu, mais c'est extraordinaire! s'exclama Geneviève. Pourquoi il ne m'a rien dit?

— Ça vient d'arriver, lui répondit Desneiges. Il est tellement excité, c'est beau à voir! Elle va lui en acheter d'autres. Il va faire de l'argent avec ça, c'est sûr. Pas comme son père…

— Et c'est quelle toile? demanda Geneviève, qui adorait son ex-belle-mère, sauf lorsqu'elle parlait de son fils, artiste raté et extrêmement paresseux, à qui elle avait dû verser une pension alimentaire pendant des années.

— Une de ses dernières… Je me rappelle plus le nom…

— Il a un site sur l'Internet, dit Marcel.

— Ça y est? répondit Geneviève, Balthazar m'avait dit qu'il se montait un site. Je vais aller voir ça. C'est vraiment super…

Soudain, elle fut frappée par une chose: les pieds de son père. Elle les voyait ainsi dénudés pour la première fois depuis des temps immémoriaux. Marcel ne portait jamais de sandales. Le voir en gougounes vertes, vraisemblablement achetées à la pharmacie, causa un choc à Geneviève. Les pieds de son père étaient hideux. Poilus, noueux, les orteils enchevêtrés, les ongles, d'une longueur insensée, se tordaient à leurs extrémités, comme s'ils allaient agripper le bout de ses sandales bon marché et les déchiqueter violemment. Cette vision cauchemardesque rappela à Geneviève un article qu'elle avait lu quelques années auparavant dans un magazine féminin. Il portait sur l'étiquette vestimentaire au travail. Un expert disait que les hommes devaient proscrire à tout prix le port des sandales au travail, en raison de la laideur naturelle – et incurable – de leurs pieds.

Mais on ne pouvait évidemment pas les bannir d'un hôtel des Caraïbes, situé en bord de mer.

— Papa, je te fais un cadeau cette semaine et tu me jures que tu ne diras pas non...

Son père leva vers elle un regard interrogateur.

— Tu vas aller te faire faire le meilleur des pédicures au monde. Tes pieds seront comme neufs après ça.

Geneviève eut une pensée pour les filles du Centre d'esthétique. Laquelle hériterait de cette tâche ingrate?

— Ça coûte cher? demanda Marcel.

— Non... Mais ça fait partie des petits suppléments de l'hôtel.

— Tout n'est pas tout inclus dans un tout inclus? demanda Desneiges.

— Presque tout, Desneiges. Mais toi aussi, je te l'offre. Ça sera mon petit cadeau d'accueil.

Après avoir conduit Marcel et Desneiges à la piscine, avec la promesse d'un tour du site un peu plus tard, lorsqu'ils auraient repris des forces – et que son père aurait changé de couleur –, Geneviève se dirigea vers son bureau du rez-de-chaussée.

Elle l'avait peu à peu aménagé, y apportant quelques bibelots et des photos de famille. Après tout, c'est là qu'elle passait le plus clair de son temps. C'était un endroit lumineux. La porte patio donnait sur un jardin intérieur, accessible aux employés de l'hôtel. Il était malheureusement souvent empuanti par l'odeur de cigarettes. Plusieurs des collègues de Geneviève fumaient comme des cheminées.

Rosie était déjà à l'œuvre. Elle semblait préoccupée.

— Cette histoire de congrès est plus compliquée que prévu…

— Quel congrès ? Ah ! Oui, tes syner-je-ne-sais-quoi…

— Synergologues.

Le Princess Azul avait inauguré un mois plus tôt une salle consacrée aux mariages collectifs, de plus en plus fréquents, ainsi qu'aux congrès, un marché en développement. Le premier avait lieu cette semaine. Il réunissait des sommités internationales en synergologie. Il s'agissait de spécialistes dans l'art d'interpréter les expressions faciales et corporelles, avait expliqué Rosie, qui avait parmi ses clients quelques participants du Congrès.

— Je ne comprends pas, dit Geneviève, que des gens passent leur vie à observer si d'autres lèvent les sourcils, se tordent la bouche ou se grattent le nez, en cherchant à savoir ce qu'ils veulent dire. Au moins, les psys font parler leurs clients.

— C'est une vraie science, Geneviève, il y a même des livres là-dessus. J'ai une cliente vraiment chouette qui participe, elle va d'ailleurs passer plus tard pour ramasser les badges de son groupe. Et c'est là le problème : je ne les trouve plus dans le système.

Les deux femmes consacrèrent l'heure suivante aux méandres du système informatique du Princess Azul, avant de tomber sur ce qu'elles cherchaient. Rosie avait tout juste eu le temps de les imprimer lorsqu'arriva au bureau une femme mince, âgée dans la cinquantaine, qui se présenta à Geneviève comme Jacinthe Bisson, synergologue.

— Enchantée, dit Geneviève, qui se mit immédiatement à autoexaminer ses mimiques. Serrait-elle trop les dents ? Pinçait-elle ses lèvres, comme elle en avait l'habitude lorsqu'elle était perplexe ? Fronçait-elle ses sourcils ?

Jacinthe Bisson était impassible. Pas une expression sur le visage.

— Désolée, est-ce que j'ai l'air... trop... contrariée ? demanda Geneviève à la femme, qui lui sourit.

— Mais pas du tout ! J'ai l'habitude de faire cet effet sur les gens, dès qu'ils connaissent mon travail, dit-elle en lui prenant la main et en la serrant. Il faut commencer comme ça, par une poignée de main, ça m'en dit beaucoup en partant. Oh ! La madame est un peu stressée ! Comment est-ce possible dans ce petit paradis ?

Geneviève ouvrit grand les yeux, interloquée.

— Rosie, dit Jacinthe Bisson en se tournant vers la collègue de Geneviève, je vous apporte tel que promis mon plus récent ouvrage.

Intitulé *Votre corps me parle, et il en a long à raconter*, il était illustré d'une photo d'un Bouddha rieur, qui tenait à la main un masque de clown triste.

— J'avoue que c'est fascinant comme pratique. J'ai moi-même été psychologue, lui dit Geneviève, qui se demanda aussitôt pourquoi elle avait mis la profession qu'elle avait exercée toute sa vie au passé. Mais au moins mes clients pouvaient s'exprimer... Remarquez que souvent, c'était de la pure *bullshit*. Ils pouvaient dire n'importe quoi et son contraire.

— Avec le visage et le corps, on ne peut pas mentir, ni aux autres, ni à soi-même, rétorqua Jacinthe Bisson, ce qui provoqua un nouveau malaise chez Geneviève, qui se sentit rougir. Heureusement, son hâle camouflait son embarras.

Une fois la synergologue partie avec ses badges, Geneviève profita de l'accalmie relative du bureau pour plonger dans sa liste de clients. Elle voulait en savoir davantage sur l'homme au t-shirt de dauphin. Le dénommé William Morane était effectivement venu seul au Princess Azul. Il était âgé de cinquante et un ans et était domicilié à Terrebonne. Une note précisait qu'il y exerçait le métier d'horticulteur.

Horticulteur? C'était bien la dernière chose que Geneviève imaginait que pouvait faire l'athlétique quinquagénaire.

Olessia était fébrile lorsque Geneviève la croisa en fin d'après-midi, en route vers son studio. Enfin, elle était légèrement animée. Mais chez elle, la moindre excitation était tout à fait inhabituelle: sa collègue ukrainienne affichait toujours un flegme, un stoïcisme et une patience que Geneviève associait aux Slaves en général et à Dostoïevski en particulier. N'avait-il pas passé dix mille pages à expliquer en long et en large les remords d'un assassin, insignifiant par-dessus le marché?

— Geneviève! Mon Dieu, imagine-toi que je dois trouver une corde de deux ou trois mètres de long, et que la conciergerie est fermée cet après-midi. Où je peux trouver ça? Tu as une idée?

— Non… mais pourquoi une corde?

— Un de mes clients… Viens je vais te raconter, c'est un peu long.

Les deux femmes allèrent s'asseoir au petit café qui faisait face à l'allée centrale, surnommée l'Allée des palmiers royaux. Elles commandèrent deux thés glacés, histoire de se rafraîchir un peu dans la chaleur de cette fin de journée.

— J'ai un cas… Une vedette en plus, commença-t-elle en soupirant. Un Russe.

Ce client, résident «de la capitale», comme répétait Olessia, était une sommité mondiale de concours félins. Il était membre d'innombrables jurys, et voyageait à travers le monde pour dénicher les perles rares. Il collectionnait lui-même des dizaines de chats, tous avec des pedigrees longs comme le bras.

— C'est lui qui a découvert le chat Khira…

— Shakira? demanda Geneviève, en voyant défiler dans sa tête des images de la blonde chanteuse colombienne, en train de se déhancher sur une scène. Ses chansons étaient toujours très populaires lors du spectacle du personnel du Princess Azul, le vendredi soir. Encore la semaine précédente, le duo de cuisiniers avait interprété *Hips don't lie* à la grande joie des vacanciers.

— LE chat Khira… Une beauté sibérienne, une espèce très rare, qu'il a déniché dans un village reculé, un village de Tchouktches.

— De quoi ?

— De Tchouktches... Bref, ce chat est devenu un genre de mascotte en Russie. On le voit dans de nombreuses publicités, dont une de Gazprom, imagine-toi. On dit que Poutine en personne conserve une photo de lui dans son bureau au Kremlin. Et qu'il a son miaulement enregistré sur son cellulaire, ce qui le détend dans les moments de stress. Mon Dieu, Geneviève, tu ne connais pas le chat Khira ? Comme c'est étrange...

Geneviève confirma son ignorance de l'existence de cette vedette féline russe. Surtout, elle ne voyait pas le lien entre le chat Khira et la corde.

— Eh bien ce type, il s'appelle Seraphim Pavlov, oui je sais, comme le chien de Pavlov. C'est son arrière-grand-oncle qui a découvert la théorie sur les réflexes conditionnés.

— Mon Dieu, combien de textes j'ai lus sur cette théorie dans mes cours de psycho !, dit Geneviève en riant.

— Donc, ce Seraphim Pavlov a un problème... très gênant.

Olessia prit une longue gorgée de thé. Puis, elle raconta comment le juge international avait été victime d'un horrible accident domestique, vingt ans plus tôt. En activant la manette de la chasse d'eau, la cuvette de la toilette avait littéralement explosé, propulsant le malheureux jusqu'au salon de son studio et, surtout, lui tailladant la moitié du visage. Des ouvriers étaient venus dans la journée travailler sur les conduites d'eau de l'immeuble, une de ces horreurs qui avaient poussé sous l'ère soviétique. La pression avait été rétablie, mais trop intensément. Plusieurs cuvettes avaient explosé, mais seul Seraphim avait été aussi grièvement blessé.

On était au lendemain de la chute du communisme et les couteaux volaient bas. Une commission d'enquête intitulée «Toute la lumière sur les bols», ou quelque chose du genre, Olessia n'était pas certaine de la traduction exacte, avait été mise sur pied. Plusieurs têtes étaient tombées. Devant le tollé national, le visage de Seraphim Pavlov avait eu droit à un traitement de faveur : on avait fait venir un plasticien libanais, spécialiste des blessures par bombes à fragmentation, pour le réparer. Ce fut un succès, mais l'homme avait conservé des séquelles psychologiques.

— Depuis tout ce temps, il attache toujours une corde à la chasse d'eau, et il la tire à une distance d'au moins trois mètres... au cas où. Tu comprends... Peut-être pourrais-tu l'aider à surmonter ce traumatisme, t'as pas des trucs de psy ?

— Oui, mais ça peut être long, lui dit Geneviève en riant. On n'a pas le temps. Mais j'ai peut-être une idée...

Marcel Cabana se montra ravi de la proposition de sa fille. Il commençait à trouver le temps long à la piscine et il était gêné, dit-il à Geneviève, par les ronflements tonitruants de Desneiges, assoupie depuis une bonne heure déjà. Et puis se rendre utile l'enchantait.

Olessia avait trouvé géniale l'idée de sa collègue de faire exécuter ce petit travail par un quincaillier à la retraite, mais elle parut surprise en voyant Marcel. Le père de Geneviève était non seulement plus âgé qu'elle le croyait, mais il était plutôt frêle.

Il fut décidé de laisser Desneiges finir sa sieste. Geneviève déposa une petite note sur la pochette du livre que sa belle-mère était en train de lire. Mais elle freina son geste en voyant le titre de l'ouvrage : *Cinquante nuances de Grey*. Bordel, mais qu'est-ce qu'une femme de soixante-dix-huit ans peut faire avec ce roman pervers ? se demanda-t-elle, troublée. Elle décida de tourner la pochette à l'envers.

En attendant de trouver une vraie corde dans l'atelier, qui finirait bien par rouvrir, il fut convenu d'utiliser deux ou trois ceintures. Ça ferait le travail, assura Geneviève. En tant que Russe, même en vacances, Olessia était convaincue que son client en aurait apporté plusieurs.

Seraphim Pavlov l'attendait dans sa chambre, tel que convenu avec elle plus tôt dans la journée. Il était plutôt grand, le regard bleu perçant, l'air sévère, la lèvre inférieure épaisse et pendante. Geneviève vit aussitôt les stigmates de son accident. Le côté droit de son visage avait l'air d'avoir été attaqué par une crise sévère d'acné, qui aurait laissé des traces indélébiles, tout en épargnant le côté gauche. Malgré cela, c'était un quinquagénaire séduisant. Il y avait deux enfants d'une dizaine d'années avec lui, qui s'amusaient avec des jeux vidéos.

Olessia lui parla en russe, en faisant des gestes en direction de Geneviève et Marcel, qui se contentaient tous deux de hocher la tête en souriant.

Puis, Seraphim partit vers sa chambre, et en compagnie des deux enfants, se mit à fouiller dans sa valise. Ils en sortirent trois ceintures, dont une, remarqua Geneviève, en peau de crocodile verte. «Très chère», se dit-elle.

— Papa, on va prendre celle-là pour travailler sur la chasse d'eau, dit Geneviève en prenant un modèle de cuir défraîchi. Elle a l'air d'être la moins chère, si on l'abîme, ça ne sera pas trop grave.

Marcel se mit au travail. Il n'avait pas perdu la main, se dit Geneviève, admirative et attendrie tout à la fois. Elle lui tenait une pince, seul outil qu'on avait réussi à trouver à la réception, dans le coffret d'urgence.

Une fois les ceintures bien accrochées, Marcel souleva le couvercle du réservoir et accrocha la boucle de la ceinture au levier de déclenchement. Il resserra la boucle avec la pince et referma à moitié le couvercle. Puis, il déroula les ceintures, qui se rendaient assez loin de la salle de bain, se dit Geneviève, pour que Seraphim puisse surmonter son traumatisme.

— Qui veut essayer? demanda Marcel.

— Eh bien toi! lui répondit Geneviève.

— Mais je n'ai pas envie d'aller aux toilettes, ma fille, répondit son père le plus sérieusement possible.

Il n'était pas question pour Marcel Cabana de déclencher une chasse d'eau s'il n'y avait rien à tirer dedans.

Olessia prit les choses en main et fit le test. Au son si familier de la chasse tirée, Seraphim émit un son guttural, mi-rire, mi-grognement. Cela semblait signifier qu'il était extrêmement satisfait des services offerts par Olessia Ivashchenko, son agente à destination.

L'un des enfants prit une photo de Seraphim, tout sourire.

Avant de quitter, Geneviève sortit son calepin et lui demanda un autographe.

«Ce n'est pas tous les jours qu'on a la chance, comme psy, de rencontrer l'arrière-petit-neveu de Pavlov», se dit-elle, ravie.

Geneviève avait hâte de rentrer dans son studio pour une chose, hormis une bonne douche avant le repas: téléphoner à son fils pour le féliciter.

Vêtue d'un t-shirt trop grand qui faisait office de robe d'intérieur, elle se servit d'abord un verre de blanc, puis s'installa à son ordinateur.

Mais Balthazar ne répondait pas à son Skype. Et n'était pas branché sur Facebook non plus. Geneviève fut surprise de ne voir aucune allusion à l'achat miraculeux d'une de ses toiles nulle part sur sa page. D'habitude, il y affichait toutes les nouvelles concernant son art.

Il y avait cependant une nouveauté : une adresse qui dirigeait vers le site Web de balthazartheartist.com.

Elle cliqua et fut dirigée vers le site de son fils. Il était d'une facture étonnamment professionnelle, se dit Geneviève, surprise et ravie à la fois. La photo de Balthazar était magnifique. Il avait mis en valeur ses jolies boucles brunes et ses yeux, d'un brun si profond. Il avait l'air d'une *rock star*, se dit Geneviève avec fierté, ou à tout le moins, d'un DJ célèbre. Même ses toiles avaient l'air… comment dire ? Presque l'œuvre d'un pro. Le fait d'être éloigné de sa mère, se dit Geneviève, l'avait fait grandir. Il s'épanouissait à vue d'œil. Elle but avec satisfaction une gorgée d'un Rioja blanc bien froid. Un délice. L'éducation des enfants était une tâche parfois ardue, d'autant plus qu'elle avait eu à faire celle des jumeaux sans grand appui du père. Ce dernier préférait s'amuser avec eux plutôt que leur inculquer des notions d'efforts. Mais quand arrivaient des moments comme ceux-là, toute l'inquiétude qui rongeait Geneviève de n'avoir aucun contrôle sur les êtres qui lui étaient les plus chers s'évaporait. Balthazar était en train de forger sa voie.

Aucune mention, cependant, de l'achat d'une œuvre par une princesse qatarie. Geneviève se dit que son fils n'avait sans doute pas eu le temps de propager la bonne nouvelle. Il devait peindre à un rythme accéléré, se dit-elle, lorsque son regard fut attiré, dans le bas de la page, par une inscription en arabe.

Elle cliqua sur l'hyperlien, qui s'ouvrit immédiatement sur une nouvelle page. Tout y était rédigé en arabe. Sans doute la carte de visite de son fils dans les pays du Golfe, se dit Geneviève, à nouveau admirative. Puis, une photo qui s'agrandissait si on cliquait dessus la fit sursauter : on y voyait Balthazar en train de peindre... avec ses orteils. Son corps était recroquevillé et son visage, un peu penché vers la gauche, était d'une intensité que Geneviève ne lui connaissait pas. Il s'activait sur une toile qu'elle reconnut pour l'avoir vue, à moitié achevée, quelque six mois plus tôt. C'était *Joie et Chaos, mamelles obscures*, elle s'en souvenait, car le titre de l'œuvre était inusité.

Mais qu'est-ce que ça pouvait signifier ? Pourquoi cette photo étrange, sur un site en arabe ? Geneviève l'ignorait, mais elle se dit qu'elle en aurait le cœur net.

Décidément, ce dimanche de mars était sous le signe des pieds et des orteils.

Elle retourna sur sa page d'accueil de Facebook. Elle avait un message de son frère Luc.

Comment ça se passe avec papa ? Il était très énervé par ce voyage. En plus, la tempête de neige a commencé la nuit dernière. On a eu peur que l'avion ne parte pas. Sylvie-Anne et moi avons passé une soirée à l'aider à faire sa valise. Il allait oublier ses bermudas et Sylvie est allée à la pharmacie acheter des sandales, on ne trouvait plus les siennes...

Geneviève rassura son frère : tout allait bien. Marcel avait chaud, mais il allait s'acclimater, c'était certain. Elle lui enverrait des photos durant la semaine.

Luc et elle s'écrivaient régulièrement concernant leur père. Il leur avait donné une frousse, quelques mois plus tôt, lorsqu'il avait perdu son dentier (dissous dans un liquide nettoyant, selon lui), puis dérobé les prothèses d'autres pensionnaires. Si son dentier n'avait jamais été retrouvé, il n'y avait plus eu d'épisodes de cleptomanie, au grand soulagement de Geneviève.

De nombreuses photos de la tempête de neige avaient été mises en ligne par ses amis. Les images bucoliques des premières heures avaient laissé place au pénible déneigement des voitures dans les étroites rues montréalaises. Elle ne s'ennuyait pas de ça.

Elle envoya des petits mots d'encouragement, suivi de quelques bonshommes sourire. Elle avait l'impression de négliger ses amis, ces derniers temps, et se promit des envois personnalisés dès qu'elle en aurait le temps. Ça ne serait sûrement pas cette semaine, avec son père et Desneiges au Princess Azul.

Son amie Isabelle avait mis son haïku du jour, puisé, avait-elle écrit, dans un répertoire public :

Nuit de lune

Une fois rentrée

Je commence une longue lettre

«C'est peut-être ce que je devrais faire», se dit Geneviève, «écrire une longue lettre à moi-même.» Quand elle était psy, elle recommandait souvent à ses clients cette thérapie de «discussion avec soi-même», toujours salutaire. Mais en ressentait-elle vraiment le besoin? De quoi aurait-elle vraiment envie de discuter avec elle-même? Elle vivait au Princess Azul depuis presque sept mois. Et outre le fait qu'elle s'ennuyait terriblement de ses enfants, elle sentait davantage un «engourdissement tropical», comme le disait si bien sa collègue Michèle, qu'un processus de remise en question. Il lui faudrait bien revenir, un jour ou l'autre, à ce qui avait déclenché sa crise de colère contre Sylvain Lemieux. Déjà, le gardien des dossiers de l'Ordre des psychologues, responsable de ses clients pendant sa radiation, poussait plus loin son rôle et s'enquérait régulièrement de son «évolution».

En attendant, peut-être devrait-elle poursuivre le fastidieux exercice de pondre un haïku tous les matins, à son réveil, qu'elle avait entrepris après le séjour d'Isabelle au Princess Azul. Son amie l'avait convaincue de se mettre à l'écriture de ces courts poèmes japonais, qui traduisaient «l'évanescence» des choses. «Tu auras l'impression d'être plus intelligente», après lui avoir gentiment rappelé qu'elle vivait désormais dans un genre de désert culturel.

Elle se mit à l'ouvrage.

Soirée chaude

Une fois sortie

Je vais boire du vin

Elle était satisfaite, puisque le haïku contenait une référence à la nature – le vin – et même à l'une des quatre saisons – la chaleur –, apparemment deux incontournables. Même si Geneviève ne prétendait pas maîtriser l'extrême complexité de la codification du petit poème, elle comptait tout de même en respecter l'essence autant que faire se peut.

«C'était simple, et ça voulait dire ce que ça voulait dire», se dit Geneviève en se préparant à rejoindre Marcel et Desneiges.

Elle ouvrit sa penderie. Elle avait enfin un vaste choix de vêtements, depuis qu'elle avait été en tournée *shopping* avec Sylvia. Cette dernière ne pouvait plus supporter la voir vêtue de beige ou de noir. Il est temps qu'elle varie ses couleurs, lui avait-elle ordonné. Plusieurs morceaux de la colorée collection espagnole *Desigual* furent ainsi achetés, de même que des t-shirts de Banana Republic, des robes fuchsia, turquoise ou orange brûlée d'Anne Klein, bref, des couleurs que jamais Geneviève n'aurait imaginé un jour porter.

— Une photo de Balto qui peint avec ses orteils? Mon doudou, j'imagine que c'est pour rire! s'exclama Desneiges. Mon petit-fils me surprendra toujours!

L'ex-belle-mère de Geneviève avait fini par s'attabler avec son plateau de nourriture. Elle avait pris des clichés de tout le buffet et avait demandé à des vacanciers de la prendre en photo devant une multitude de plats. Elle portait un tablier à l'effigie de son blogue, une version fabriquée exprès pour son séjour au Princess Azul. On y voyait des palmiers ainsi que des perroquets, perchés sur son lettrage habituel.

Entre deux bouchées, Desneiges saluait tout un chacun. Elle semblait déjà connaître tous les clients, ainsi que le personnel de l'hôtel. L'une des triplettes de Blainville s'arrêta devant leur table, plateau à la main.

— Bonsoir Desneiges, on se voit demain matin pour la partie de bridge, hein?

— Bien sûr, Arlette!

— Moi, c'est Cécile, répondit la vieille dame en poursuivant son chemin.

— Arlette, Cécile... Mon Dieu, Marcel, te souviens-tu du prénom de la troisième sœur?

— Euh, non...

Marcel avait l'air fatigué. Normal, après une nuit presque blanche. L'anormalité était l'état de Desneiges. Sans doute sa trop longue sieste l'avait dangereusement survoltée. C'est Gonzo qui l'avait réveillée, vers dix-huit heures, à la fin de sa journée à la piscine. Du moins, c'est ce qu'avait déduit Geneviève lorsque sa belle-mère lui avait dit qu'un «ange blond au corps de Michel-Ange» l'avait tirée de son sommeil.

— Je pensais que je rêvais encore, Geneviève. Je ne comprenais pas ce qu'il me disait, et je lui ai demandé s'il n'était pas Monsieur Grey... Tu sais, je lis les *Cinquante nuances de Grey*. Mais dans mon livre, c'est un brun.

Sa belle-mère avait poursuivi en disant qu'elle ne lisait pas les passages «cochons» du roman. Mais sa collègue Sylvia, à qui elle avait confié l'anecdote, lui avait confirmé qu'il n'y avait que *ça*, des passages cochons.

Geneviève souhaitait que Desneiges ne fasse pas d'insomnie. En attendant, sa belle-mère commentait chaque bouchée, prenait des notes, et déterminait les éléments qui, selon elle, rendraient ces plats inoubliables. Puis, Marcel sortit un petit flacon de sa poche. Il contenait une trentaine de grosses pilules bleues.

— J'ai oublié de te donner ça, ma fille. C'est de la part du petit Michel.

— Oh! Mon Dieu, mon Ritalin, enfin... Papa, je n'ai rien de grave, rassure-toi, je veux juste essayer ce médicament pour voir si je suis vraiment en déficit d'attention, tu sais, le TDAH... Alors, tu as rencontré le docteur Pierre Sansregret?

— Oui, et il a bien changé, mon petit Michel...

Son père s'obstinait à appeler le gastroentérologue «le petit Michel». Lorsque Geneviève lui avait annoncé avoir retrouvé au Princess Azul le petit garçon qui avait été repris à la famille, cinquante ans plus tôt, et retourné à ses vrais parents, Marcel était resté sans voix. Visiblement ému, il avait baragouiné qu'il aimerait bien le revoir. Geneviève avait tout arrangé à distance. Et demandé, du coup, au gastroentérologue de trouver un confrère pour lui prescrire du Ritalin, «juste pour voir».

— Je ne vais jamais au département de psychiatrie de Notre-Dame, Geneviève, je ne les supporte pas... En plus, c'est plein de fous là-bas.

— Tu ne peux pas demander ça à un généraliste?

Pierre Sansregret avait fini par se faire prescrire du Ritalin par un de ses amis, rencontré durant ses années à la Faculté de médecine, un type qui pratiquait à Saint-Léonard. Il lui avait dit que c'était pour son propre usage, et qu'il voulait voir si ça règlerait ses problèmes d'inattention.

Geneviève prit le flacon des mains de son père. Il était accompagné d'une feuille contenant une série d'indications et de contre-indications, ainsi que d'effets secondaires possibles. La prescription de Ritalin était au nom de Pierre Sansregret et contenait assez de pilules pour que le test soit concluant. Elle comptait commencer le traitement le mardi.

Après avoir reconduit ses «vieux», comme elle les appelait, à leur chambre respective, Geneviève rentra directement à son studio et se fit couler un bain. Elle était complètement épuisée. Balthazar n'avait pas répondu à son courriel. Elle lui en envoya un second, l'avisant qu'elle se brancherait sur Skype le lendemain autour de dix-huit heures, et qu'elle comptait bien l'attraper, ainsi que sa sœur. Son fils avait réemménagé dans la maison de la rue Champagneur, délaissant l'appartement de son père. La cohabitation n'avait apparemment pas réussi.

Habituellement, le dimanche, Geneviève passait un coup de fil à Marcel, à la résidence du Crépuscule bienveillant. Mais voilà, il était avec elle au Princess Azul. Au moins, elle l'aurait à l'œil toute la semaine, se dit-elle, rassurée, en déposant sa tête sur l'oreiller.

 Lundi

— Quoi? Tu ne viens pas avec nous au barrio Guachupita? C'est une blague?

— Non, Sylvia, je ne peux pas cette semaine, j'ai mon père et mon ex-belle-mère avec moi, je dois m'en occuper un peu… T'imagines si je passe ma journée de congé en cavale avec toi et que je les laisse derrière?

— Amène-les!

Au regard que lui lança Geneviève, Sylvia comprit que l'offre était plus que déraisonnable.

La Britannique prit une longue gorgée de son café au lait et croqua dans son croissant au chocolat. Geneviève était à la fois fascinée par le noir de ses ongles, œuvre du Centre d'esthétique, et par le fait que la quinquagénaire pouvait engouffrer pareil petit-déjeuner, tous les matins, et rester aussi mince, voire maigre. C'était sans compter les litres de vin et d'alcool de toutes sortes qu'elle absorbait chaque semaine. Où allait tout cela? De son côté, Geneviève se contentait d'un toast au pain brun, de fruits du jour et d'un yogourt nature insipide.

— Je ne peux pas les amener. Cela dit, j'essaie de trouver une excursion qui pourrait leur plaire, et c'est pas évident… Ma belle-mère a un léger surpoids.

— C'est trop dommage que tu manques ça.

Pour son congé du mercredi, Sylvia avait organisé une excursion d'une journée au barrio Guachupita, le quartier où était né et avait grandi Gonzalo Resurrección. C'était autrefois un village, mais il avait été happé par une petite ville en pleine expansion, Hato Mayor del Rey.

L'expédition avait un but anthropologique : il s'agissait de connaître les éléments naturels – ou autres – qui avait fait du don Juan du Princess Azul ce qu'il était devenu. Sylvia était également curieuse de savoir s'il y avait d'autres exemplaires de type Gonzo à Guachupita. Peut-être veuf ou divorcé ?

Elle avait réussi à convaincre la Brésilienne Romualda ainsi que la Japonaise Kioko de venir avec elle. Un jeep avait été réservé. Se rendre là-bas prendrait un bon deux heures et Gonzo avait averti que la route n'était pas commode.

—Attention aux bœufs et aux serpents venimeux, avait-il dit en riant.

Geneviève et Sylvia portaient leurs habituels immenses chapeaux et lunettes noires, histoire de passer inaperçus auprès de leur clientèle respective. Après tout, elles ne commençaient à travailler qu'à neuf heures. Si elles étaient trop reconnaissables, cela les exposait à recevoir toutes sortes de doléances avant même que leur journée n'ait officiellement commencé.

—On soupe ensemble ce soir ? Je vais te présenter mon mini-club de l'âge d'or, dit Geneviève en prenant congé de sa collègue.

Sur le chemin de son bureau, qui était situé dans le bâtiment principal de l'hôtel, son regard fut attiré par un mouvement dans des arbustes, où fleurissaient plusieurs espèces, dont des orchidées, les seules que Geneviève savait reconnaître. Les branches tanguaient. Sans doute un animal, se dit-elle. Puis, son cerveau lui envoya comme message que hormis des chats, aucun animal ne vivait sur le site du Princess Azul. En tout cas, aucun assez volumineux pour faire un pareil bordel dans la végétation.

Curieuse, elle s'approcha des arbustes. En fait, il ne s'agissait pas d'un animal, mais d'un individu qui se tortillait dans les branches, presque en rampant, piétinant au passage quelques fleurs. Geneviève eut un choc lorsqu'elle reconnut son client, William Morane.

Puis, elle se rappela que l'homme était horticulteur. Sans doute faisait-il de l'observation. Après tout, la végétation du Princess Azul était diversifiée et luxuriante, bien différente de celle de Terrebonne.

Attendrie, elle s'approcha de l'homme.

— Vous devez trouver ces plantes bien exotiques, n'est-ce pas? Il y a huit mille espèces de plantes tropicales sur l'Ile, vous en avez pour la semaine à les découvrir… Je vous conseille fortement une expédition au Parc écologique Indigenous Eyes. Vous pouvez même déambuler dans les sentiers en Segway. Vous connaissez le Segway? Enfin, tout ça pour dire qu'on est loin de la Rive-Nord de Montréal, en tout cas!

William Morane tressaillit, puis se redressa brusquement, comme s'il avait reçu une décharge électrique. Il regarda Geneviève avec surprise, puis avec une évidente animosité. Elle était déconcertée.

— Euh… Désolée de vous avoir dérangé, arriva-t-elle à balbutier. Vous observiez la végétation? Je sais… enfin j'ai vu que vous étiez horticulteur.

William Morane secoua son bermuda sali par la terre, et Geneviève vit qu'il avait à nouveau son t-shirt dauphin. Elle avait la sale impression d'avoir dérangé quelqu'un en train de commettre un crime inavouable.

— Oui... oui, je suis horticulteur, madame... madame? demanda son client avec un air d'exaspération qu'il n'essayait même pas de dissimuler.

— Geneviève Cabana. Je suis votre agente à destination, pour toute la semaine.

— Oui, oui, je sais, répondit-il en jetant un regard sur ses orteils, l'air de dire qu'avec une couleur pareille sur ses ongles, il était impossible de l'avoir oubliée. J'ai assisté à votre réunion hier matin.

Sur ces paroles, il arracha brutalement une fleur d'orchidée et la porta à son nez en prenant de bruyantes respirations.

— Vous... vous n'avez pas le droit de toucher au « mobilier végétal » de l'hôtel, monsieur Morane.

L'homme éternua violemment et un nuage de pistils l'enveloppa momentanément.

Geneviève était décontenancée par l'attitude de son client, qui avait maintenant porté la fleur à ses lèvres, comme pour la dévorer.

— Je suis désolé, mais je ne peux pas observer le mobilier végétal, comme vous dites, sans le toucher. Sur ce, bonne journée, madame.

Il s'extirpa complètement des buissons, détruisant quelques fleurs au passage, passa devant Geneviève en poussant un soupir, puis, partit rapidement en direction du restaurant.

« Quelle brute, quel ours mal léché, quel horticulteur mal dégrossi! » se dit Geneviève en poursuivant son chemin.

Elle arriva la première au bureau et trouva un message de la responsable des agents à destination chez Tour Exotica, Johanne Prévert. Elle demandait de la rappeler urgemment à Montréal.

Chaque fois qu'elle recevait ce genre de message, Geneviève sentait son estomac se nouer. Elle imaginait le pire : avait-elle gaffé sans le savoir et était rappelée au Québec *manu militari*? Tour Exotica était-il sous la Loi sur les arrangements avec les créanciers? Elle savait bien que ses appréhensions découlaient de son insécurité, à la suite de sa radiation de deux ans, après un geste répréhensible. Après tout, il lui fallait payer l'hypothèque du triplex de Parc-Extension. Mais il n'y avait rien à faire, elle angoissait en composant le numéro de sa supérieure.

Celle-ci était d'excellente humeur.

— Salut ma belle! Il fait beau et chaud chez vous? Ici, on a une grosse bordée de neige ce matin.

La routine, quoi.

— J'ai une nouvelle très excitante pour toi. Tu connais l'émission *Une chance pour l'amour*?

Oui, Geneviève connaissait bien cette téléréalité qui réunissait des jeunes gens en quête d'amour... et d'une *monster house* sur la Rive-Nord, ces manoirs géants, de type néogothique, récompense ultime au couple gagnant. Elle l'avait regardée avec les jumeaux, béate devant tant d'âneries débitées dans un si mauvais français.

— Ils sont au Mexique, cette année, et comme tu sais, ils se promènent beaucoup dans les Caraïbes. Eh bien, imagine-toi que l'un des couples les plus *hot*, celui que tout le monde voit déjà gagnant, arrive ce matin au Princess Azul pour un séjour éclair de vingt-quatre heures! Une formidable publicité pour Tour Exotica, Geneviève.

L'agente à destination n'avait qu'à les accueillir sur le site, vers onze heures le matin même. Pour le reste du séjour, ils seraient étroitement encadrés par l'équipe technique, qui les suivrait partout.

— Ils sont adorables, Geneviève, tu vas voir.

Kevyn et Chrystal-Lyne, déjà surnommés par les magazines à potins «les y d'or», arrivèrent à onze heures pile, entourés de leur escorte technique. Le couple était charmant. Elle, brune, élancée, les pommettes saillantes, la bouche pulpeuse et les yeux azur ; lui, un châtain aux yeux sombres et au sourire éclatant, le corps bien découpé. «Ils ont l'air sympathiques et *intelligents*», se dit Geneviève, presque surprise par cette impression positive.

Le petit groupe attirait l'attention. Des vacanciers coréens – ou japonais ? – les mitraillaient avec leurs appareils photo. Le couple se prêtait au jeu avec un ravissement palpable.

Un type qui se présenta comme réalisateur montra à Geneviève la liste des activités des prochaines vingt-quatre heures. Kevyn et Chrystal-Lyne n'allaient pas chômer, avec au programme de la plongée sous-marine, du saut en parachute et de l'équitation extrême dans un refuge national où il fallait traverser des marais et affronter des moustiques géants. Mais la première destination était la piscine, où un cours privé de plongée en apnée était au programme.

Geneviève proposa de les accompagner pour cette activité, histoire de leur montrer un peu le site sur lequel les tourtereaux d'*Une chance pour l'amour* allaient devoir consolider la leur s'ils voulaient rafler le grand prix.

Une partie de l'immense piscine du Princess Azul avait été réservée à l'activité d'apnée, prévue autour de midi. Geneviève vit au loin son père et sa belle-mère, installés avec les triplettes de Blainville. Ils jouaient tous aux cartes. Elle les salua de loin. Ils avaient convenu de se retrouver pour le lunch.

Kevyn et Chrystal-Lyne s'étaient changés. Ils étaient vêtus de leurs maillots de bain, ce qui mettait en valeur le corps parfait de la jeune femme, et les pectoraux proéminents du jeune homme.

Gonzalo Resurrección, qui avait été mis au courant de ce cours un peu spécial, et en duo, s'avança vers eux, tout sourire. Comme par magie, Kevyn semblait s'affadir à mesure que le don Juan dominicain s'approchait. Comme s'il rapetissait, se dit Geneviève, fascinée, comme si ses muscles s'affaissaient, que son teint verdissait. Lorsqu'ils se serrèrent la main, la psy crut détecter un soupçon de terreur dans les yeux du jeune candidat d'*Une chance pour l'amour.*

Elle vit aussi comment les pâles iris de Chrystal-Lyne brillèrent au moment où Gonzo la serra dans ses bras, en lui susurrant : *tu eres la más guapa, mi amor…*

— Quoi ? Qu'est-ce qu'il dit ? s'exclama-t-elle en riant, en se retournant vers Geneviève.

Ces vingt-quatre heures au Princess Azul allaient être tout un défi pour le jeune couple. Et Geneviève n'était pas certaine qu'il y aurait le grand manoir à la clé.

À son retour au bureau, un homme l'attendait. Il devait avoir la mi-quarantaine, peut-être davantage, était grand et maigre, et habillé de manière «ostentatoirement vacancière», comme Geneviève qualifiait le port d'un maillot de bain moulant, d'une camisole rose tout aussi moulante, d'un chapeau d'explorateur, de lunettes soleil ET de sandales Crocs de couleur pastel.

— Bonjour Monsieur… ?

— Tremblay. France Tremblay, dit l'homme en lui serrant chaleureusement la main. Je suis professeur à l'UQAM, au département d'études touristiques, je ne sais pas si Tour Exotica vous a prévenu de mon séjour ici ?

— Non…

Geneviève se dit qu'elle avait sans doute mal entendu le prénom de l'homme. Même s'il était quelque peu efféminé, il n'avait quand même pas l'air d'un transsexuel.

— C'est pas grave. Je suis en mission, en fait. Je viens valider une étude en cours au département, sur les raisons qui font que l'on aime ou pas un séjour dans un tout inclus et ce qu'un tel séjour apporte en terme de satisfaction personnelle.

Il lui tendit un document où était inscrit le titre de l'étude : « Enchantements et désenchantements : le processus décisionnel du voyageur dans un tout inclus, paradigmes de l'ailleurs intérieur ».

— Très intéressant, dit Geneviève.

— Je ne veux pas vous importuner, je sais que vous travaillez fort, mais accepteriez-vous de répondre à un petit questionnaire que mes assistants de recherche ont préparé ? Il s'agit de valider les expressions de mécontentement de la clientèle à tel ou tel moment de leur séjour, et d'établir ainsi une notation des plaintes les plus fréquentes.

— Oui, bien sûr.

Récemment, un ami avait mis sur Facebook *Les dix-neuf plaintes de voyageurs les plus idiotes*, un palmarès établi par l'agence de voyage Thomas Cook. Michèle et elle s'étaient bien bidonnées. Leurs préférées : « La plage était trop sablonneuse. Nous devions tout nettoyer en rentrant à l'appartement », « Il y avait trop de gens espagnols là-bas. La réceptionniste parlait espagnol, la nourriture était espagnole. Personne ne nous a dit qu'il y aurait autant d'étrangers », « Nous avons dû faire la queue à l'extérieur pour prendre le bateau et il n'y avait pas de climatisation », « Les routes étaient inégales et bosselées, donc nous ne pouvions pas lire le guide local pendant le trajet en bus de l'hôtel. Pour cette raison, nous ignorons beaucoup de choses qui auraient rendu notre séjour encore plus agréable.»

— Monsieur Franck, ça me fera un très grand plaisir de collaborer avec vous dans cette recherche.

— C'est super, merci! Mais mon nom est France, pas Franck.

Geneviève eut l'air surprise.

— Je sais, c'est inhabituel. Je viens du Saguenay, dit-il, comme si ça expliquait tout. À une certaine époque, on semblait faire exprès pour donner des prénoms de gars aux filles et vice versa. En tout cas, mes parents s'en sont donné à cœur joie. On s'en est juste aperçu, mes frères et moi, en sortant du Saguenay.

— Et comment s'appellent vos frères?

— Lina et Carol.

— Ah bon. Et vous avez des sœurs?

— Oui. Gilles et Stéphane.

— Je vois.

— Oui.

— En tout cas, ça me fera plaisir de vous aider dans votre recherche, monsieur Tremblay.

— Je vous laisse le questionnaire… Et si on se revoyait, disons, mercredi?

— Ça sera parfait pour moi, je vous confirmerai l'heure un peu plus tard cette semaine.

En route vers le restaurant, pour son lunch du midi, Geneviève bifurqua par le Centre d'esthétique. Elle se souvenait que deux des filles qui y travaillaient portaient des noms de famille à consonance arabe. Peut-être seraient-elles en mesure de traduire l'étrange page Web de son fils Balthazar?

— Rhénébièbé, ton vernis est encore impeccable, c'est génial! Tu as eu des compliments pour? demanda Fernanda, la pédicure qui lui avait mis cette couleur sur les ongles d'orteils.

— Euh… non, oui, enfin ça suscite des réactions.

— Super, c'est le but. La direction est intraitable: on doit écouler le stock avant de faire entrer quoi que ce soit de nouveau.

Geneviève prit d'abord rendez-vous pour un pédicure pour son père et sa belle-mère. Puis, elle lui expliqua la raison de sa visite. Fernanda l'accompagna dans une cuisinette attenante à la vaste salle de soins de beauté, où deux jeunes femmes prenaient leur repas du midi.

— Est-ce que vous savez lire l'arabe, les filles?

Elles répondirent toutes deux par la négative, elle étaient nées et élevées au Vénézuéla, bien loin du Liban de leurs grands-parents.

— Mais Rhénébièbé, lui dit une des deux femmes, il y a un nouveau bijoutier installé à Bavaro, sur la rue Cruce de Veron, c'est un Libanais et il me semble qu'il débarque tout juste de là-bas. Il doit sûrement lire l'arabe.

Ni Marcel, ni Desneiges n'étaient encore arrivés au restaurant du buffet. Ils devaient être encore en train de jouer aux cartes près de la piscine, se dit Geneviève, très heureuse de cette autonomie. Elle alla s'asseoir avec Olessia, qui lui faisait de grands signes de la main.

— Alors, monsieur Pavlov est toujours satisfait de notre système de tirage de chasse?

— Il a bien fonctionné, mais on est allé lui installer une vraie corde ce matin, l'équipe d'entretien était enfin revenue, et Seraphim voulait porter ses ceintures, alors…

Geneviève nota que l'Ukrainienne appelait son client par son prénom, ce qui était inhabituel chez elle.

— Il est un peu compliqué, cet homme, poursuivit Olessia. Il avait entendu parler des chats du Clan Corleone et m'a demandé de les visiter ce matin. Chose faite. Mais tu sais ce qu'il a dit d'eux?

— Non, quoi? demanda Geneviève, qui craquait pour les mignons félins roux qui vivaient en autarcie dans les jardins du Princess Azul.

— Qu'ils avaient tous l'air tarés, congénitaux et brutaux. Ce sont ses propres termes. Il faut dire que l'un d'eux l'a griffé…

— Mon Dieu! C'est horrible. Comment peut-il dire des choses pareilles des Corleone? Un juge de concours félin en plus? Un amoureux des chats?

— Je ne sais pas… De mon côté, je n'aime pas vraiment les animaux, quoique je ne leur souhaite pas de mal comme tel, mais bon, il faut bien manger quelque chose. Mais ce n'est pas tout. Après les chats, Seraphim a voulu initier ses deux enfants à la plongée en apnée. Je les amène donc rencontrer Gonzo à la piscine, au cas où il lui resterait de la place dans un de ses cours. Mais là, impossible d'approcher Gonzo.

Olessia était visiblement outrée lorsqu'elle raconta que le maître de la plongée en apnée était hors d'accès, car encerclé d'une équipe de cinéma.

— Il était en train de donner un cours à une fille… une espèce de beauté brune qui, visiblement, faisait saliver notre Gonzalo. Je te jure, il était penché sur elle, et l'enlaçait avec ses tubes, on aurait dit… on aurait dit qu'il voulait la sauter sur-le-champ. C'était… comment dire… disgracieux.

— Est-ce qu'il y avait un gars, un peu en retrait?

— Un gars? J'ai vu un jeune homme, oui, qui n'avait pas l'air de faire partie de l'équipe technique, il était en maillot de bain.

— Et il faisait quoi?

— Bien… rien, il était à l'écart et avait l'air, comme moi, et comme Seraphim, de trouver ça complètement déplacé.

«Hum», se dit Geneviève, dont les pires appréhensions se confirmaient. Gonzo avait déployé tout son arsenal pour séduire Chrystal-Lyne. Saurait-elle résister? L'attrait du manoir allait-il être plus puissant que celui du don Juan?

— Toujours est-il qu'il n'était pas possible de faire faire de l'apnée aux enfants. Alors je les ai amenés au cours de poterie Taïno.

— Tu ne savais pas que les ateliers avaient été suspendus depuis que le Coréen s'est brûlé dans le four?

— J'avais complètement oublié cette histoire, imagine-toi. Alors j'arrive là, et je tombe sur le gros et faux Taïno, Alberto, qui est assis, en pagne, avec l'écriteau «grève de la faim» devant lui. Quand j'ai traduit ça à Seraphim, il m'a dit que l'époque des goulags avait quand même du bon…

Là-dessus Olessia partit d'un grand éclat de rire, puis de légères rougeurs apparurent sur sa peau d'un blanc laiteux.

— Il a de l'humour, quand même, dit-elle, joyeuse. Mais je ne devrais pas rire de ça. Mon arrière-grand-oncle Vitaly a passé quelques années dans les goulags. Ça l'a rendu fou. Mais voilà, je ne savais plus quoi faire avec les Pavlov, alors j'ai prétexté du travail, et je les ai laissés en plan, dans l'Allée des palmiers royaux.

— Ils vont bien trouver à s'occuper sur le *resort*... De mon côté, je ne sais pas trop quoi organiser pour mon père et ma belle-mère mercredi. C'est ma journée de congé, mais en même temps, j'ai plein de courses à faire. Tu sais que j'organise une fête pour papa, vendredi, en fin de journée. D'ailleurs, je compte bien sur ta présence. J'ai averti les serveurs au restaurant, on prendra le coin du fond. J'ai commandé une piñata, et je dois aller vérifier mercredi, au centre commercial, si tout est correct. Ma belle-mère va aider à la cuisine à préparer quelque chose de spécial.

— Oui, je l'ai justement aperçue sortant des cuisines, ce matin, ta belle-mère...

— Ah bon?

Geneviève était surprise que Desneiges ait déjà pris l'initiative d'aller aux cuisines, sans elle. Elle aurait préféré être là, pouvoir la présenter au personnel, et expliquer ce qu'elle comptait préparer, vendredi, pour son père.

— Mon Dieu, c'est Seraphim!

Olessia était devenue écarlate. Le célèbre juge félin était au buffet, en train de choisir ses plats, affichant une moue un peu dédaigneuse.

— Eh bien, il te fait de l'effet, on dirait!

—C'est une vedette, Geneviève, et qui plus est, une vedette marquée par la vie…

—Par une cuvette de toilette, tu veux dire, répliqua Geneviève, mais sa blague, une fois de plus, tomba à plat. Décidément. Olessia la regarda comme si elle avait commis un crime de lèse-majesté.

Marcel et Desneiges étaient attablés à la terrasse de la piscine avec les triplettes de Blainville et un autre homme, âgé dans les quatre-vingts ans passés, que Geneviève ne connaissait pas. Ils jouaient au bridge et l'animation était à son comble.

—Vous n'allez pas manger?

—Pas tout de suite, ma fille, on est en pleine partie.

—Marcel, tu as la poisse, chantonna l'homme inconnu, avec un fort accent marseillais.

—Geneviève, je te présente notre nouvel ami, César. Il est Français.

—Enchantée, ma belle dame, répondit César. Marcel ne m'avait pas dit que sa fille était aussi charmante!

Geneviève lui sourit. Elle avait toujours envié ça aux Françaises: elles avaient à demeure des hommes qui complimentaient et même, qui draguaient. Mais bon, les hommes québécois avaient d'autres atouts.

—Papa, Desneiges, je viendrai vous faire des suggestions plus tard pour les sorties de mercredi. Il y a le Parc écologique Indigenous Eyes, les dauphins du Manatí Park…

—Ma belle fille, commença Desneiges, après avoir jeté un regard complice sur Marcel. Ton père et moi on en a discuté, et on est tellement bien ici qu'on ne veut plus bouger!

«Le syndrome du tout inclus», se dit Geneviève, peu surprise. Certains clients ne voulaient plus sortir de leur complexe hôtelier. Ça frappait même ceux qui avaient auparavant fait des plans de visite élaborés et acheté des guides de voyage. La prison dorée. Et tous disaient la même chose au moment de leur départ: on n'a pas eu le temps de visiter cette fois, mais la prochaine fois, ça sera différent.

Ben oui.

Geneviève insista pour la forme, mais dans les faits, elle était plus que soulagée. Non seulement elle n'était pas certaine que les activités dans la région allaient leur plaire, mais elle avait tous ces préparatifs à faire en vue de l'anniversaire de son père.

— Dites-le-moi si vous changez d'idées, leur dit-elle, en leur donnant rendez-vous pour un apéro en fin de journée.

Elle croisa William Morane qui marchait d'un pas vif, comme s'il y avait le feu, visiblement préoccupé. En l'apercevant, il tourna vivement la tête, feignant de ne pas la voir. «Quel rustre! se dit Geneviève. Et, surtout, quel étrange vacancier.»

Pour rejoindre son bureau, elle passa devant la «salle des congrès», comme on appelait un peu pompeusement le nouvel aménagement prévu à cette fin. Elle entrevit un homme en train de marcher à la manière d'un mime, dans un cercle d'une quarantaine de personnes. Sur le mur du fond, un diaporama diffusait des photos de personnes en apparence impassibles, mais des flèches rouges pointaient des éléments du visage; qui le nez, le menton, le front, les oreilles. Des synergologues au travail, se dit Geneviève, qui se dit que si elle en avait le temps, elle viendrait bien assister à l'un des ateliers. Par curiosité.

À quatorze heures, Rosie et Geneviève se rendirent, comme tous les lundis, au bureau de Sabrina Peres, responsable des médias sociaux au Princess Azul. En compagnie d'autres agents à destination, elles écoutèrent Sabrina faire le tour des « grandes tendances ».

Premier constat : l'incendie du restaurant japonais avait privé l'hôtel d'une source inépuisable de photos de morceaux de viande enflammée, un des thèmes chers aux clients du Princess Azul. Il y avait bien d'innombrables couchers de soleil, des palmiers, et quelques clichés de plats du buffet, mais l'absence des mets japonais avait fait baisser le trafic.

— Vivement la réouverture de ce resto… Le Brrr ! ne fait pas l'unanimité chez nos clients, poursuivit Sabrina en faisant défiler une série de commentaires publiés sur le compte Twitter @PrincessAzul.PuntaCana.

Geneviève en attrapait quelques-uns dans les trois langues qu'elle comprenait et qui parlaient de « plats insipides » et de « concepts étranges de gel et dégel ». Mais d'autres saluaient l'audace et la « fraîcheur » des aliments, un baume dans ce « four tropical ».

Autre pépin : la grève de la faim du faux Taïno commençait à occuper un espace sur les réseaux sociaux, ce qui inquiétait vivement Sabrina.

— Il donne une version complètement fausse de l'histoire, il dit qu'il a été suspendu pour avoir brisé accidentellement des poteries… Je ne sais pas ce que le directeur général attend pour le renvoyer de l'hôtel. Olessia, dis-moi, qu'est-ce que c'est que ça ? Je crois que c'est du russe…

Sabrina fit apparaître la page Facebook du Princess Azul de Punta Cana, où on voyait la photo d'un homme dans la cinquantaine, en train de montrer avec fierté une série de ceintures imbriquées, qui semblaient sortir du réservoir de la toilette. Geneviève reconnut ses propres pieds, grâce au vernis flamboyant sur ses orteils. Instinctivement, elle tenta de les cacher sous sa chaise.

— Oh mon Dieu, oui, c'est un de mes clients...

Olessia paraissait mal à l'aise. Elle expliqua rapidement la situation, sans donner de détails ni sur l'accident, ni sur le statut de vedette en Russie de Seraphim Pavlov.

— Un des enfants a probablement décidé de publier ça. J'avoue que ça semble un peu... hors contexte, sur la page d'un tout inclus tropical.

— Effectivement, répondit Sabrina, mais le plus étonnant, c'est que cette photo a récolté vingt-trois mille «j'aime». Je n'en reviens pas. Et quelle crise d'acné majeure il a dû se taper, plus jeune, ce type... Vous n'aviez pas de produits adéquats en Russie, j'imagine, Olessia? demanda tristement la jeune femme.

— En Russie, je ne sais pas, mais en Ukraine, non, répondit vivement Olessia, qui détestait qu'on la prenne pour une Russe.

Sabrina nota plusieurs mentions à la venue prochaine au Princess Azul d'une vedette pop sud-coréenne, ce qui mit l'agente de ce pays, Bo-Bae, dans tous ses états. Puis, elle se tourna vers Geneviève.

— Il y a une cuisinière canadienne dans l'hôtel qui semble très active. Elle a mis un lien vers son blogue sur notre page Facebook, je suis allée voir, bon je n'ai pas compris parce que c'est en français, mais il devait bien y avoir deux cents photos de plats du buffet...

La page labonnebouffe.com s'ouvrit, montrant une Desneiges triomphante. Il y avait en effet toute une série de photos, et même une vidéo. Sabrina cliqua dessus, et on vit apparaître la belle-mère de Geneviève en train de faire visiter à ses internautes les cuisines de l'hôtel. Elle présentait le personnel, comme si elle avait connu chacun d'eux toute sa vie. «Elle est forte», se dit Geneviève, admirative. Mais lorsque la caméra fit un gros plan sur le visage du chef, Pep Bolufer, le groupe retint son souffle. Il avait l'air plus furieux que d'habitude, ce qui était franchement effrayant. Il mit sa main devant la caméra, et cria de faire sortir la «petite vieille» de ses cuisines, sans quoi il lui jetterait un truc par la tête, le son ne permettait pas d'identifier de quoi il s'agissait.

Ignorant le danger, Desneiges poursuivait sa tournée en commentant ce qu'elle voyait. Heureusement, celle-ci était sur sa fin.

— Rhénébièbé, tu arrives à comprendre ce qu'elle dit? C'est positif? Il y a quand même beaucoup de commentaires, sur ce blogue, elle doit être influente, cette dame, même si ça ne paraît pas comme ça.

Geneviève lui confirma que les propos étaient plus que positifs. Et se demanda bien comment elle pourrait ralentir les ardeurs de sa belle-mère.

En quittant le bureau de Sabrina, elle croisa le directeur général de l'hôtel, le sublissime Federico Armando del Prado Mayor. Il était assis à son magnifique secrétaire, en train de parler au téléphone sur son main libre, de sorte que la conversation, avec une femme à la voix haut perchée, était parfaitement audible quoiqu'incompréhensible.

Geneviève lui fit un sourire et il le lui rendit. Elle poursuivit son chemin avec un petit pincement au cœur. Sans être hostile, sa relation avec le directeur s'était refroidie depuis les événements survenus cinq mois plus tôt, au cours desquels il avait été enseveli sous un tas de débris alors qu'il chantait un air d'opéra. Un client de Geneviève, ensorcelé, avait foncé sur la scène en tracteur. Del Prado en avait perdu momentanément la mémoire.

Après une convalescence de trois semaines à Madrid, le directeur était revenu reprendre ses fonctions au Princess Azul. Rien ne transparaissait de son accident, hormis une nouvelle obsession pour le sport. Il faisait son jogging aux aurores tous les matins, nageait ses longueurs dans la piscine tard en soirée, et s'exerçait régulièrement au tennis avec l'un des entraîneurs de l'hôtel. Geneviève s'était arrangée quelques fois pour jouer en même temps que lui, entraînant Sylvia ou Michèle sur les terrains, alors qu'elles savaient à peine manier la raquette. Elle espérait que le directeur général remarque son jeu à elle, nettement supérieur, et lui suggère de venir l'affronter. Mais Federico del Prado se concentrait entièrement sur son propre jeu et semblait ne voir personne autour.

Bien sûr, cette vie active l'avait rendu encore plus séduisant aux yeux de Geneviève. Il avait perdu du poids et on percevait ses pectoraux au travers de ses jolies chemises de soie.

Cette nouvelle passion pour le sport s'était aussi traduite par une redécoration complète de son bureau. Il avait décroché les toiles de maîtres espagnols pour les remplacer par des photos de ses sportifs préférés, tous espagnols aussi. Il y avait bien sûr le joueur de tennis Rafael Nadal, le pilote de F1 Fernando Alonso et plusieurs autres que Geneviève n'avait su reconnaître. Elle avait surtout été troublée par une photo en grand format représentant, en pleine action, des nageuses synchronisées. Elles étaient déguisées en clowns – ou était-ce des soldates sur l'acide? – et portaient l'habituel pince-nez et les cheveux tellement tirés qu'on semblait voir la forme de leur cervelet. Leur maquillage était si outrancier qu'elles ressemblaient à l'image que Geneviève se faisait d'une prostituée biélorusse, marquée par les épreuves de la vie, et faisant le trottoir dans une de ces capitales des nouvelles républiques postsoviétiques, Tachkent, Achgabat, voire Oulan-Bator, en Mongolie.

Il y avait aussi cette photo de l'équipe de soccer du Real Madrid, qui faisait l'objet de plusieurs commentaires parmi le personnel du Princess Azul. Le directeur avait mis des X rouges sur plusieurs visages. Interrogé à ce sujet, il avait répondu qu'il n'avait conservé «que les Espagnols de l'équipe» et coché les «autres».

— Tu imagines, lui avait chuchoté Sylvia, qu'il a même mis un X sur le visage de Ronaldo? Il a beau être Portugais, il met les trois quarts des buts de l'équipe. Je crois que del Prado n'a pas complètement retrouvé ses esprits…

C'était un peu l'avis de Geneviève. Son directeur général adoré avait changé depuis l'accident.

De retour à son studio, Geneviève calcula qu'elle avait tout au plus quarante-cinq minutes avant d'aller rejoindre son père et sa belle-mère pour l'apéro, près de la piscine.

Le temps de prendre une douche. Et de téléphoner aux jumeaux. Elle enfila le même t-shirt que la veille et se brancha sur Skype. Sa fille apparut rapidement sur l'écran d'ordinateur. Elle était souriante, mais visiblement fatiguée. Le week-end avait dû être festif.

— Ça va chérie?

— Oui maman. Tout va bien ici.

Anne n'était pas seule. Elle lançait des regards à sa gauche, et Geneviève la voyait gesticuler.

— T'es avec Balthazar?

— Non, je suis avec un ami... Ambar. Il vient de débarquer à Montréal, en direct de Bombay, et il cherchait un endroit pour passer quelques jours, alors on l'a invité ici. C'est le Centre qui nous l'a recommandé.

Anne travaillait quelques heures par semaine dans un Centre d'intégration de nouveaux arrivants, le PREAR, ou le GRIER, ou était-ce le FERIR? Geneviève ne se souvenait jamais de l'acronyme exact et en inventait un nouveau à chaque fois. L'idée qu'un «nouvel arrivant» vive chez elle ne lui disait rien qui vaille.

— Je lui ai fait pelleter les entrées, on a eu trente centimètres de neige depuis hier. Imagine-toi qu'Ambar n'en avait jamais vu! C'était tellement mignon à voir, on aurait dit un petit enfant...

«Trop mignon, en effet», se dit Geneviève.

— Comment ça se passe avec grand-papa et grand-maman? demanda Anne.

Geneviève lui fit un résumé des dernières vingt-quatre heures. En gros, tout allait pour le mieux dans le meilleur des mondes, quoique l'intrépidité de Desneiges la surprenait.

— Oui, j'ai vu des photos et sa vidéo sur son blogue... C'est qui l'affreux type qui lui crie par la tête? Selon Édith, au Centre, il lui dit: «Si vous ne sortez pas immédiatement de la cuisine, affreuse femme, je vous verse de l'huile rancie et brûlante sur la tête et je vous fais avaler du chou-fleur par les oreilles.» En tout cas, quelque chose dans ce genre-là. On peut faire entrer du chou-fleur par les oreilles?

— C'est Pep Bolufer, notre chef catalan. Tu ne l'as pas connu quand tu es venue à Noël, il était en vacances. Dis-moi, comment ça va, tes études?

Sa fille fit une moue. La dernière conversation sur le sujet remontait à une semaine et, visiblement, la comptabilité n'avait pas reconquis le cœur d'Anne.

— Je ne sais pas... Je suis toujours aussi ambivalente. J'aime compter, tu le sais, mais y'a des choses tellement plates.

— Anne, il te reste, quoi, un an? Finis ton cours et tu verras après, non?

— C'est long, un an...

Geneviève était terrifiée à l'idée que sa fille de vingt et un ans abandonne ainsi un cours qui lui donnerait, pour sûr, une stabilité sur le marché du travail. Déjà que son frère s'engageait dans la voie déraisonnable et instable des arts visuels.

— Est-ce que Balthazar est à la maison?

— Non, il est sorti... Tu veux que je lui dise de te rappeler?

— Je lui ai déjà laissé un message. Tes grands-parents m'ont dit pour la vente d'une de ses toiles, au Qatar, et je voulais le féliciter. Dis-moi, tu as vu son nouveau site Web?

Anne eut l'air hésitante. Puis, elle acquiesça de la tête.

— Oui... Oui je l'ai vu. Il est pas mal, non?

— Il est très beau, en effet, mais t'as vu le lien vers le site en arabe?

Anne fit une drôle de tête, l'air de dire: «Moi? Non, pas du tout!» et la psy en Geneviève vit qu'elle semblait hésiter.

— En arabe? Non, j'ai rien vu, maman. Mais j'imagine qu'il a fait traduire sa page. Il est en train de peindre une nouvelle toile pour cette femme, la princesse Lala ou Baba ou je ne sais quoi. Ne t'inquiète pas pour lui, il va super bien. Je lui dis qu'il te rappelle sans faute, mais tu sais qu'il n'est pas très fort là-dessus.

Là-dessus, Geneviève entendit un énorme fracas qui semblait venir de son étagère de bibelots exotiques, rapportés au fil de ses voyages. Anne cria le nom d'Ambar, puis éclata de rire.

Après s'être douchée, Geneviève sortit rejoindre son autre famille, plus âgée celle-là, à la piscine. Elle était troublée, non seulement par la conversation peu limpide avec sa fille, qui semblait lui cacher quelque chose, et par la destruction d'une poterie iranienne par Ambar, mais aussi parce qu'elle venait de recevoir un courriel de Paul, son ex.

Deux mois plus tôt, alors qu'elle rentrait dans son studio un peu ivre, à la suite d'une soirée bien arrosée avec Michèle et Sylvia, elle avait eu la mauvaise idée de lire ses courriels. L'un deux était de sa meilleure amie, Isabelle, qui lui racontait les dernières péripéties de sa vie et, surtout, sa rencontre avec l'homme qui avait laissé Geneviève pour sa femme de ménage: Paul. Il était justement avec Cecilia, en train de manger au Pied de Cochon, un resto où il refusait toujours d'aller du temps où il sortait avec Geneviève, se plaignant de son prix «prohibitif», «non-conforme» à ses revenus de professeur d'université. «Ils ont l'air bien ensemble, avait écrit Isabelle, même si on dirait que c'est sa mère... adoptive. Elle est quand même plus basanée que Paul.»

Furieuse, Geneviève avait envoyé un courriel à Paul Laroche, ce qu'elle n'avait pas fait depuis les lendemains de leur rupture. Elle lui enjoignait de lui rapporter – ou de la compenser financièrement – tout ce qu'elle lui avait prêté ou qu'il avait utilisé au fil de leurs six années de relation. Elle avait comptabilisé les repas qu'il avait mangés chez elle (elle avait évalué grossièrement une trentaine de rosbifs, plusieurs kilos de saumons, des caisses d'huile d'olive, etc.), les lavages (quatre caisses de détergent), les vêtements achetés au département des hommes chez Simons, et même des abonnements à des magazines et des quotidiens, pour quand il passait la nuit chez elle. Il devait aller porter le tout à l'appartement de la rue Champagneur « dans un avenir proche ».

C'était absurde. Geneviève le sut dès qu'elle appuya sur *send*. Elle eut immédiatement honte. Mais c'était trop tard, évidemment.

Depuis, Paul n'avait donné aucune nouvelle, au grand soulagement de Geneviève. Certains courriels n'arrivent jamais à leur destinataire, perdus dans les méandres du cyberespace. Mais voilà que Paul lui répondait.

Elle avait décidé de ne pas ouvrir immédiatement le courriel.

En arrivant à la piscine, Geneviève aperçut Olessia qui recevait un petit colis des mains de son père. Sa collègue ukrainienne était déjà partie au moment où elle arriva à la table du petit groupe. Personne ne semblait avoir bougé depuis qu'elle était passée par là, le midi.

— Tu donnais quelque chose à Olessia, papa ?

— Hein ? Quoi ? Non, je n'ai rien donné à Olessia, ma fille.

— Papa, je viens de te voir lui remettre ce qui semble être un petit colis, enveloppé de papier brun... Je ne suis pas folle, quand même !

Marcel regarda sa fille avec interrogation, puis ses yeux s'éclairèrent.

— Le petit colis ? Oui, en fait c'est cette dame qui est venue me porter quelque chose, elle s'est mélangée de client, c'est ça...

Geneviève était abasourdie. Comment Olessia, «cette dame», aurait-elle pu prendre son père, le même homme qui l'avait aidée à régler le cas de Seraphim aux toilettes la veille, pour un de ses clients? Bordel! Elle avait l'impression que sa famille tout entière lui cachait des choses. Était-elle en train de rêver, tout compte fait? Existait-elle réellement? Ou était-elle décédée depuis plusieurs années dans un accident de vélo, et tout le monde faisait semblant qu'elle était vivante? Elle avait vu cette situation effarante dans plusieurs films.

La musique se faisait plus forte à cette heure à la piscine et Desneiges se leva pour danser sur un air que Geneviève qualifiait de «musique tropicale d'ascenseur». Elle était incapable de discerner une pièce de l'autre, tout était du pareil au même pour elle. Sa belle-mère avait revêtu une ample robe fleurie, aux couleurs vives, et portait une rangée de volumineux bijoux de couleur ocre. César applaudissait avec enthousiasme. Leur table était couverte de verres vides.

C'est ce moment que choisit le directeur général du Princess Azul pour venir faire ses longueurs. L'heure était inhabituelle. D'ordinaire, Federico del Prado se jetait à la piscine après vingt et une heures, lorsqu'il n'y avait plus personne. Geneviève l'entendait parfois s'ébattre dans l'eau, avec ce clapotis régulier que font les excellents nageurs. Elle rêvait parfois d'aller plonger à son tour, et d'exécuter des mouvements gracieux et acrobatiques comme les nageuses synchronisées affichées dans son bureau.

Del Prado enleva son élégant peignoir aux motifs du Princess Azul. Il portait un maillot comme ceux des nageurs d'élite, très seyant. Un peu trop, peut-être, le tissu extensible faisait ressortir un léger surplus de poids dans le bas du ventre. Le directeur général salua les différents membres du personnel de la piscine, puis Geneviève, de loin, et plongea tête première dans la piscine aux dimensions olympiques.

— Geneviève, qui est ce bel homme qui vient de te saluer ? On dirait Robert Wagner ! dit Desneiges, en sueur après sa danse endiablée. Ou Alain Delon dans son jeune temps.

— C'est le directeur général de l'hôtel, Desneiges. Un Espagnol.

— Et pourquoi tu ne sors pas avec lui ? C'est défendu ?

Geneviève sourit. Elle expliqua qu'effectivement, ce genre de relation ne serait pas idéale. Puis lui dit qu'il était dûment marié, père de trois enfants et propriétaire d'un chien, un bouledogue irlandais prénommé Zorro, selon ce qu'elle avait entendu.

— Un homme marié, ça n'a jamais été un obstacle, ma chérie, j'en sais quelque chose. J'ai été veuve à trente-huit ans, avec cinq garçons, alors si je voulais m'amuser, y'avait que ça, autour de moi, des hommes mariés. Les célibataires me fuyaient comme la peste.

Desneiges avait maintes fois raconté la mort tragique de Donald Desjardins, son défunt époux et père de ses cinq fils. Alors qu'il se trouvait sur un chantier de construction, une poutre géante s'affaissa au sol, causant un dégât impressionnant. Par miracle, l'accident ne fit aucun blessé. Mais un type, qui conduisait une plateforme élévatrice, fut pris de panique et recula à toute vitesse son engin. Donald Desjardins, qui se trouvait tout juste derrière, n'eut aucune chance. Il n'y eut pas de miracle.

Desneiges se servit du petit pécule des assurances pour ouvrir son restaurant, La Gaspésienne chantante.

Geneviève proposa d'aller souper. Le groupe protesta. Il semblait impossible de les décoller de la piscine.

Normalement, les lundis, Geneviève allait faire une partie de quilles avec Michèle, au Grand Palladium Tropical Miracle Occidental, seul hôtel de Punta Cana à offrir cette activité à sa clientèle. Comme employées d'un hôtel voisin, les deux femmes pouvaient, moyennant une dizaine de dollars, passer leur soirée à faire des abats. C'était un moment de pure détente pour Geneviève. Elle appréciait la compagnie de Michèle, une pince-sans-rire, qui prenait avec beaucoup d'autodérision sa médiocrité aux quilles. Elles se racontaient leurs états d'âme. Geneviève avait cru comprendre, à travers les confidences de sa collègue, que celle-ci pansait au Princess Azul une profonde déception amoureuse.

— Chacun d'entre nous s'est retrouvé ici pour des raisons différentes, lui dit-elle. Mais en général, nous fuyons tous quelqu'un ou quelque chose.

En voyant Desneiges reprendre sa danse, sous les applaudissements de César, et Marcel, penché dangereusement sur son *drink*, Geneviève regretta amèrement d'avoir annulé sa douceur du lundi soir.

— Hello!

Sylvia venait se joindre à eux, un *drink* verdâtre à la main.

Les présentations faites, Sylvia s'étonna du prénom de Desneiges (*soooo cute*) et s'épancha sur celui de Marcel (*soooo intense*). Il lui rappelait le film sur la vie d'Édith Piaf qu'elle avait vu, quelques années plus tôt. Elle avait tant pleuré lorsque la chanteuse avait appris la mort de son Marcel bien-aimé, dans l'écrasement d'un avion. Et Bébé Marcelle... Que d'émotions! Si Desneiges parlait bien anglais, son restaurant ayant eu pignon sur rue dans le quartier Notre-Dame-de-Grâce, Marcel ne saisissait pas tout ce que racontait Sylvia. Elle avait un très fort accent *british*.

— Nous avons beaucoup de plaisir avec votre fille, Marcel, dit-elle en prenant ses mains et en les portant à sa joue, comme pour la flatter, un geste étrange que Geneviève prit pour une autre de ses excentricités. .

Là-dessus, Sylvia entreprit un résumé détaillé des six derniers mois, les meilleures sorties, beuveries, rencontres, incidents et accidents. Marcel leva le sourcil gauche, signe de grande perplexité. Geneviève ignorait si c'était en raison de ce qu'il entendait ou, au contraire, parce qu'il ne comprenait rien à ce que racontait Sylvia. Elle souhaitait que la deuxième option soit la bonne.

— Le plus drôle, Marcel, ç'a été lorsque le chroniqueur est venu passer la semaine au Princess Azul !

Sylvia éclata de rire. Geneviève devint écarlate. « Le chroniqueur », c'était ce type qui avait écrit un article disgracieux sur Geneviève, peu après sa radiation de l'Ordre des psychologues. Il était arrivé à l'hôtel, comme client de Tour Exotica, quelque cinq mois plus tôt. Geneviève avait dû changer d'identité avec Rosie pour ne pas avoir à s'occuper de lui.

Sylvia avait alors manigancé une petite vengeance. Elle l'avait approché, en lui disant qu'elle le connaissait de réputation « internationale », et lui parla d'un réseau de pédophiles québécois qui sévissaient dans la région. Il en fut immédiatement titillé. Sylvia l'avait envoyé passer la journée à Higüey, une ville poussiéreuse et sans grand charme, à environ une heure de Punta Cana. Elle lui avait donné des adresses foireuses, une série de bars mal famés, en fait. Puis, Michèle l'avait approché à son tour, et lui avait parlé du même réseau, en précisant le nom de son chef : un dénommé Réal (c'est Geneviève qui avait choisi le prénom).

Le malheureux chroniqueur avait dû cette fois passer une journée complète dans les hautes terres de La

Altagracia, une fournaise infestée de moustiques et de serpents, sur la piste de Réal. Il était revenu penaud et exsangue et, surtout, sans aucune information sur le mystérieux pédophile. Il avait même loué les services d'un chauffeur et d'un traducteur, ce qui avait coûté très cher, dit-il à Rosie. Enfin, Gonzalo Resurrección avait complété le tableau en affirmant au pauvre chroniqueur qu'il avait été lui-même abusé, enfant, par un Québécois prénommé Réal et que celui-ci avait été aperçu, pas plus tard que la semaine précédente, dans un bled sans nom, à environ trois heures de route. Le professeur de plongée en apnée lui avait fait un croquis approximatif du chemin à emprunter. Il avait aussi dessiné un portrait-robot du dénommé Réal. Geneviève lui avait montré quelques photos de types qui défilaient alors à la Commission Charbonneau et il s'en était inspiré. «Montre-le à tout le monde pour que nous attrapions ce salaud, et que les Canadiens sachent quel genre de rapace vit ici!» avait dit Gonzalo en éclatant en sanglots.

En voyant le chroniqueur partir le lendemain matin, en habit de safari, vers une destination fictive, mais qui traversait des marais inhospitaliers, Geneviève avait presque eu pitié de lui.

Il avait perdu trois journées complètes de repos. Et il était reparti extrêmement frustré, avait dit Rosie.

Geneviève s'aperçut soudain que Desneiges s'était évaporée. Son regard fit le tour de la piscine et elle la retrouva en grande conversation avec Federico del Prado. Le directeur général venait visiblement de s'extirper de la piscine, il était détrempé. Même si elle ne la voyait que de dos, Desneiges semblait lui parler avec animation. Del Prado plissait les yeux, comme s'il avait de la difficulté à la voir, ce qui était impossible – elle était à trois pouces de lui. Sa bouche était crispée et il semblait ahuri. Geneviève vit avec effroi son ex-belle-mère lui tapoter la joue, puis lui faire une chaleureuse accolade.

— Il est plus que temps d'aller manger, dit Geneviève.

Elle se détendit au restaurant du buffet. Michèle et Arno, le chanteur du Princess Azul, s'étaient joints à eux, ce qui avait fait diversion du blabla incessant – et indiscret – de Sylvia.

Desneiges dit à Arno qu'elle l'avait souvent vu à la télévision et dans les magazines, et lui demanda pourquoi diable il chantait maintenant au Princess Azul, même si l'endroit, ajouta-t-elle, aussitôt, était paradisiaque. Comme tout le monde, elle le prenait pour le chanteur Renaud. C'était un authentique sosie. Pendant des mois, Michèle avait d'ailleurs été convaincue qu'il était le « vrai » Renaud, incognito à l'hôtel, pansant quelques plaies, jusqu'à ce qu'elle voie des photos du chanteur de *Miss Maggie* dans *Paris Match*. Il déambulait solitaire dans les rues de Paris, le teint blafard, au moment même où Arno s'égosillait sur la scène du Princess Azul.

Sitôt son repas terminé, armée de son cellulaire, Desneiges était à nouveau allée aux cuisines, malgré les avis contraires de sa belle-fille, qui lui avait recommandé la discrétion. Elle en était ressortie précipitamment, sous des bruits de casseroles se fracassant au sol et de cris.

— Je lui ai simplement conseillé de mettre plus d'épices dans son pâté de viande, et ça l'a mis en furie, dit Desneiges en s'assoyant. Tu connais, Geneviève, ce type puant, avec les cheveux longs, frisés et gras ?

— Oui, c'est le Chef de la cuisine de l'hôtel, Pep Bolufer.

— Lucifer, oui, ça lui va bien, il est diabolique, répondit Desneiges en frissonnant. Tu as vu sa dentition? Il a des croûtes jaunes si épaisses, on dirait de la tarte au citron desséchée.

Geneviève remarqua alors dans un coin William Morane, assis en compagnie d'une demi-douzaine de femmes qui s'étaient présentées à elle comme «Les lionnes de Saint-Bruno», des mères de famille qui s'étaient accordé une semaine de répit sans enfants. Ça riait ferme, et l'horticulteur semblait moins bourru que d'habitude. Il esquissait même un faible sourire de temps à autre, ce qui, Geneviève devait bien l'avouer, lui donnait un certain charme.

À vingt et une heures, elle alla reconduire son père et sa belle-mère dans leur chambre. Sur le palier, son père l'embrassa et lui dit comment il appréciait son séjour à l'hôtel, en sa compagnie. Il avait bu toute la journée et ça l'avait quelque peu désinhibé. «*Cutie*», se dit Geneviève.

En retournant vers son studio, Geneviève croisa les membres de l'équipe technique d'*Une chance pour l'amour*. Elle reconnut Kevyn, un peu en retrait, assis sur un banc installé dans l'Allée des palmiers royaux. Il avait l'air piteux.

— Tout va bien? demanda Geneviève au réalisateur avec qui elle s'était entretenue plus tôt dans la journée.

— Pas vraiment, répondit-il, d'un ton las. On a perdu Chrystal-Lyne. Ça fait trois heures qu'on la cherche dans le *resort*. Apparemment, elle s'est poussée avec un gars... Ça va faire un maudit bon *show* pour nous, mais pas pour lui, ajouta-t-il en pointant Kevyn, l'air de plus en plus penaud.

— Bonne chance, lui dit Geneviève, qui se doutait bien avec qui la jeune femme avait pu partir.

Arrivée à son studio, elle décida de prendre sa troisième douche de la journée, avant d'ouvrir le courriel de Paul. Elle hésita entre un autre verre de vin ou de l'eau citronnée, et opta pour la seconde option. C'était nettement plus sage, et ça lui enlèverait l'envie de répondre à Paul dans un état trop émotif.

Le courriel était court.

Geneviève, j'ai pris du temps à te répondre, car il m'a fallu plusieurs séances chez Flavio pour arriver à comprendre que c'était toi le problème, et non pas moi.

Flavio! Ça faisait dix ans que Paul fréquentait ce psychanalyste italien sophistiqué, très cher, et inutile, vu les résultats.

Le jour où j'ai reçu ton courriel, Cecilia m'a retrouvé en position fœtale, dans la penderie. J'étais incapable de parler. Flavio m'a diagnostiqué un état de choc et je n'ai retrouvé la parole que le lendemain, alors que j'écoutais sur audio-livre le témoignage de Primo Lévy, un survivant de l'Holocauste. Un texte poignant qui m'a fait réaliser la vacuité de nos querelles.

«Bordel mais il délire!» se dit Geneviève, secouée. «Je lui ai demandé quoi, de me rembourser ce qu'il m'a coûté? Quelques vêtements, des rosbifs, du poisson, du café, et d'autres détails comme l'abonnement au *Devoir*, que je ne lis jamais. C'est pas la lune, quand même?»

Flavio m'a amené à comprendre qu'il valait mieux ne pas répondre à tes demandes insensées et entreprendre un processus de détachement absolu, ce que je fais depuis. Je veux juste te dire que ton décompte de repas et abonnements était non seulement pathétique, il était faux. Je n'ai jamais été friand de rosbif, et je ne t'ai jamais obligé à t'abonner au Devoir, je le reçois chez moi depuis quarante ans. Bref, ton courriel était une

*tentative d'intimidation, du bullying, comme disent les
ados. Todo eso no vale la peina, comme dirait ma chère
Cecilia, qui croit comme moi que tu as été frappée par
le soleil des Tropiques.*

Adieu,

Paul.

L'allusion à son ex-femme de ménage, convertie en
nouvelle fiancée de son ex-fiancé, fit tiquer Geneviève,
mais pas autant que celle à l'intimidation.

C'était la deuxième fois en quelques semaines que ce
terme était associé à elle lors d'échanges virtuels.

Récemment, elle avait envoyé une demande d'amitié
Facebook à une vieille copine dont elle avait vu le nom
passer parmi les «suggestions» du réseau social: Marie-
Josée Bouchard. Celle-ci avait accepté son invitation,
mais s'en était étonnée, «vu leur passé». Elle avait écrit
qu'elle lui pardonnait aujourd'hui, à elle et toute la bande
de filles de l'équipe de volleyball, mais que des années
d'intimidation l'avaient marquée à tout jamais.

Geneviève avait été troublée. Bien sûr, on s'était bien
moqué de Marie-Josée, à l'école primaire, parce qu'elle
était pataude et terriblement maladroite. C'était une catastrophe dans tous les sports. Un jour, Geneviève et sa bande
avaient été particulièrement cruelles lors d'un exercice à
la trampoline. La pauvre Marie-Josée était incapable de
faire les mouvements les plus élémentaires, qui consistaient notamment à écarter les jambes lors du saut dans
les airs. De retour sur le plancher, la jeune fille avait couru
à toute vitesse, sous la trampoline, pour aller mordre
l'avant-bras de Geneviève jusqu'au sang!

Celle-ci en avait été quitte pour une belle marque de
dentition, qui avait persisté durant plusieurs jours. Elle
avait inventé une excuse bidon à son père. Il avait déjà pas

mal de soucis avec Geneviève, qui réagissait mal au départ de sa mère dans le Grand-Nord. Elle avait honte de ce qui était arrivé et sentait confusément que ses copines et elles avaient été trop loin avec Marie-Josée.

Elle en était là dans ses réflexions troubles lorsqu'elle entendit un cri guttural, et le bruit d'une course. Elle se pencha sur sa terrasse et aperçut la candidate chouchou d'*Une chance pour l'amour*, Chrystal-Lyne. Elle courait, pieds nus et les vêtements en bataille, suivie par deux caméramans. «Je l'aiiiiiiimmmmmmeee!» répétait-elle comme un vieux disque usé, jusqu'à ce qu'un autre cri, masculin celui-là, l'enjoigne, en anglais, de se la fermer.

Mardi

— C'est elle, je la reconnais !

En entendant ces paroles, Geneviève s'enfonça davantage sous son immense chapeau, et rajusta ses lunettes de soleil. Peine perdue. Elle avait été repérée par des clients. Son petit-déjeuner ne serait pas un moment de quiétude, comme elle l'avait souhaité. Son travail ne commencerait pas à neuf heures, comme il se devait.

Des ombres se profilèrent devant sa table. Elle n'avait plus le choix. Elle leva la tête. Et aperçu les triplettes de Blainville. Elles faisaient toutes trois une tête d'enterrement. Geneviève crut même décerner des larmes sur le visage de Cécile, ce qui lui serra le cœur. Voir un vieux pleurer, c'était pour elle au-delà du soutenable.

Mon Dieu, que se passait-il ?

— Est-ce qu'on peut s'asseoir, Geneviève ? demanda la plus menue des trois, Arlette.

— Oui, bien sûr !

Les triplettes s'assirent, se regardèrent, et ce fut l'aînée, Pauline, qui prit la parole.

— Il est arrivé une chose épouvantable…

Sur ce, Cécile éclata en sanglots, suivie d'Arlette, encore plus bruyante. Des clients à la table à côté, des Belges, si l'on se fiait à leur accent, jetaient des regards inquiets. Geneviève avait le sang glacé et l'imagination en plein travail. Avaient-elles été agressées, violentées? L'idée était insoutenable. À moins qu'elles ne soient victimes de chantage. Ou qu'elles-mêmes se soient rendues coupables d'un crime.

— C'est notre mère…

Leur mère? Geneviève fit le calcul: les triplettes étaient les dernières d'une fratrie de douze enfants, et elles avaient dans les soixante-dix ans. Pouvaient-elles avoir encore une mère?

— Nous avions transporté maman pour ses funérailles, enchaîna Arlette, qui s'était ressaisie.

— Maman était dans une urne, compléta Pauline. Elle est morte il y a huit mois, à l'âge de cent deux ans. Son rêve était que ses cendres soient dispersées ici, à Punta Cana. Elle y est venue une fois, dans les années quatre-vingt, avec l'un de nos frères. Elle disait que c'était un paradis.

— Elle voulait être à la fois au paradis céleste, et au paradis terrestre, poursuivit Arlette, philosophe.

— Tout a été gâché, dit Cécile, qui prononça ses premières paroles, entre deux sanglots.

— Maman a été volée, dit Arlette.

— Son urne a été volée, précisa Pauline, qui semblait la plus rationnelle des trois. Nous avions apporté une urne, contenant ses cendres, pour les jeter dans la mer.

— On s'était même inscrites à une activité de catamaran pour demain, gémit Arlette.

— Et hier soir, quand on est revenues dans notre chambre, on s'est aperçues que l'urne avait disparu, poursuivit Pauline.

— Quelqu'un a volé maman, répéta Arlette, ce qui fit pleurer encore davantage sa sœur Cécile.

Geneviève était désolée pour les sœurs et franchement perplexe. Même s'ils arrivaient parfois, les vols étaient rarissimes au Princess Azul. L'hôtel se targuait de trier ses employés sur le volet. Et de les payer suffisamment bien pour qu'ils n'aient pas envie de voler qui que ce soit.

Récemment, des clients de Geneviève, un couple de Côte-Saint-Luc, sur l'île de Montréal, l'avaient fait réveiller en pleine nuit par la réception. La femme était hystérique, elle criait à s'en fendre l'âme. Son mari expliqua qu'on les avait volés pendant qu'ils étaient à la discothèque de l'hôtel. La chambre était bordélique. Mais le couple avait eu le temps de faire une liste «préliminaire», avait-il dit, des biens volés.

Geneviève les avait convaincus d'attendre au lendemain matin pour alerter la police. Au petit-déjeuner, le couple lui avait déjà dressé une nouvelle liste, beaucoup plus longue que la précédente, et elle fut bonifiée quelques heures plus tard, alors que le trio se rendait au poste de police de Bavaro. Selon ses dires, le couple s'était fait voler trois complets Hugo Boss, des foulards Gucci, quatre robes BCBG, des bijoux de la collection de Caroline Néron, deux sacs Vuitton, un duo de *iPad* et de *iPhone*, un ordinateur, une liseuse, un appareil photo Cannon et plusieurs autres objets de luxe. Le ou les voleurs avaient du goût, puisque le reste des biens du couple était de qualité médiocre, avait constaté Geneviève.

C'est lorsque l'inspecteur S. Gomez avait demandé à la femme pourquoi elle avait apporté un manteau de vison à Punta Cana, avec un chapeau assorti, que cette dernière s'effondra. Elle avoua que son mari et elle avaient tout inventé. Ils étaient criblés de dettes, en raison de la propension de monsieur à jouer au casino.

Mais cette fois, avec les triplettes, il n'y avait pas de raison de douter.

— Où était l'urne? demanda Geneviève. Bien en vue, ou rangée dans une valise?

— Arlette, tu l'avais bien mise sur la commode, non?

Arlette acquiesça.

— Et l'urne était là avant que vous sortiez souper?

— Oui elle était là, dit Cécile, mais Pauline hocha la tête.

— Moi je n'en suis pas si certaine...

— Donc elle a pu disparaître entre votre départ de la chambre le matin et votre retour du souper, en soirée, résuma Geneviève qui avait voulu secrètement être enquêteuse au SPVM, avant d'opter pour la psychologie. Hmmm, ça fait une longue période de temps. Et votre porte était bien fermée?

Geneviève vit que Cécile semblait agitée. Entre deux sanglots, elle expliqua qu'elle était revenue à la chambre, dans l'après-midi. Elle avait laissé malencontreusement la porte ouverte pendant qu'elle s'était enfermée dans la salle de bain, «où ça avait pris plus de temps que prévu», avait-elle expliqué en rougissant.

— Je souffre de constipation quand je suis loin de la maison. Juste aller à Québec me fait cet effet! C'est pour ça que j'ai mangé des céréales muesli et des dattes ce matin, dit-elle en montrant des restants sur la table qu'avaient occupée les triplettes quelques minutes plus tôt.

— Bon, dit prestement Geneviève, qui ne voulait pas en entendre davantage au chapitre «santé intestinale». Elle avait eu plus que sa dose lors de ses conversations avec le gastroentérologue Pierre Sansregret. Pouvez-vous me décrire l'urne? Est-ce qu'elle avait une certaine valeur? Autre que sentimentale, je veux dire.

— Je vais vous montrer une photo de l'urne, dit Pauline, en sortant un cliché de son sac. On l'a prise au moment de l'incinération. Ce sont deux de nos frères qui l'entourent.

Elle tendit une photo où deux hommes extrêmement âgés (les aînés de la famille, sans doute) posaient fièrement autour d'un récipient très coloré.

— Ça? Votre mère était là-dedans?

Geneviève regretta sa phrase, mais elle était vraiment surprise. Les cendres de la mère des triplettes avaient été mises, non pas dans une urne funéraire « standard », plutôt dans un vase à l'effigie du personnage de Mickey Mouse.

— C'est notre frère, Réginald, qui a rapporté ça de Disney, et maman l'adorait. C'est pourquoi on y a mis les cendres.

Le vase en soi avait peu de valeur, se dit Geneviève. Qui aurait dérobé ça? Et pour en faire quoi? L'offrir à un enfant?

— Je vais conserver la photo, si ça ne vous dérange pas. Et essayer de comprendre ce qui a pu arriver. Ne vous inquiétez pas, on le retrouvera. Et profitez de votre journée malgré tout.

— On va aller annuler notre sortie de catamaran demain, dit Pauline, pragmatique.

Ce qui déclencha une nouvelle crise de larmes chez Cécile.

En route vers son bureau, Geneviève vit que Desneiges était déjà non seulement levée, mais en train de scruter les bijoux au kiosque de Francisco. Elle avait revêtu un ensemble jupe-chemisier aux motifs de léopard, mais les tâches des félins n'étaient pas tout à fait coordonnées. Celles de la jupe étaient plus grandes, avec un peu de jaune au centre, et Geneviève s'interrogea s'il ne s'agissait pas d'un jaguar, voire d'un guépard. Il lui faudrait vérifier ça sur Google.

Elle embrassa sa belle-mère et la présenta à Francisco, qui lui offrit aussitôt de baisser ses prix, toujours élevés en début de semaine. Après le malheureux incident des bijoux empoisonnés, quelque cinq mois plus tôt, il était revenu à la pierre la plus sûre de République dominicaine : le larimar. Il en avait toute une collection, dans différents tons de bleu. Desneiges cherchait quelle teinte se marierait le mieux avec cette robe qu'elle avait apportée exprès pour la fête d'anniversaire de Marcel.

Malgré le fait que les bijoux de Francisco ne comportaient plus aucun danger, Geneviève avait une légère appréhension en voyant sa belle-mère manipuler les bracelets dans tous les sens et les essayer. Elle avait toujours en tête les affreux boutons purulents, véritables crevasses météorites, qui étaient apparus sur la peau de plusieurs vacancières. Cette affaire avait causé une crise sanitaire durant plusieurs jours au Princess Azul.

Francisco utilisait une nouvelle pierre pour sa dernière collection de bijoux et il la trouvait terne. Il avait voulu lui donner un fini plus brillant. Un ami pêcheur lui avait alors parlé du foie de poisson-ballon. En le frottant aux bijoux, Francisco avait obtenu un brillant très spécial. Il avait adoré l'effet.

Or, le foie de ce poisson-ballon contient un poison très dangereux. Il est même utilisé par les sorciers vaudou, en Haïti, dans la république voisine, pour produire leurs mixtures.

Dans le cas des bijoux de Francisco, c'est la sueur de ceux qui les portaient qui avait activé le produit et libéré le poison. Il était entré dans la peau des victimes, ce qui leur avait causé ces horribles boutons infectieux.

La cause de l'empoisonnement avait été scientifiquement établie et avait fait l'objet d'un long article dans le prestigieux *New England Journal of Medicine*. L'article, signé par un bataillon d'une douzaine de chercheurs, précisait que les femmes atteintes avaient été très chanceuses, car si le poison avait atteint leur flot sanguin, elles auraient pu mourir, ou à tout le moins, tomber dans un sommeil très profond tout en étant éveillées... comme des zombies, quoi. L'hôtel Princess Azul était donc passé à deux doigts d'être envahi par des morts-vivants, ou plutôt des mortes-vivantes, puisque seules des femmes avaient été atteintes.

Le phénomène avait été appelé *Francisco's Disease,* ce qui avait rempli de fierté ledit Francisco. Pourtant, sa réintégration au Princess Azul n'avait pas été aisée. Il fallut attendre le retour du directeur général avant de statuer sur son cas. Heureusement, Federico del Prado se sentit magnanime, après l'agression qui avait failli lui coûter la vie.

Desneiges se rabattit sur un volumineux bracelet d'un bleu turquoise, ce qui allait s'agencer parfaitement, dit-elle, avec sa robe de fête.

Avant d'aller au bureau, Geneviève devait passer prendre des documents à la réception. Alors qu'Alejandra lui tendait une liasse de paperasses, elle aperçut son client malotru, William Morane, se jeter littéralement dans une voiture de taxi, bousculant au passage un groupe de vacanciers brésiliens. C'est du moins ce qu'en déduit Geneviève, puisqu'ils étaient accompagnés de Romualda. Elle déduit aussi qu'ils devaient revenir de l'excursion «observation de papillons sauvages au lever de soleil», très populaire parmi la clientèle.

En voyant son client, Geneviève repensa à son rêve de la nuit précédente. Elle en avait un souvenir flou, sinon qu'il y avait des dauphins, beaucoup de dauphins, qui tournoyaient, en émettant les mêmes cris joyeux que Flipper, autour d'un grand type costaud, aux yeux d'acier et à la mâchoire carrée : William Morane.

Dès son arrivée au bureau, Geneviève montra la photo de « l'urne de Mickey » à sa collègue Rosie. Celle-ci fut surprise, à la fois par l'incongruité de « l'urne » que par le vol comme tel.

— Il ne viendrait pas à l'idée d'une famille italienne de mettre des cendres là-dedans, dit-elle, pensive. Dis-moi, c'est pas un cas comme celui du couple de Côte-Saint-Luc, toujours ?

— Non, pas du tout, Rosie. Elles ont vraiment perdu les cendres de leur mère. Mais qui a volé ça ? Et pourquoi ?

Le réalisateur d'*Une chance pour l'amour* fit irruption dans le bureau. Il venait remercier Geneviève et lui signifier que toute l'équipe, et le couple, quittaient l'hôtel sur-le-champ. Retour dans la villa mexicaine. Geneviève avait encore en tête les cris de Chrystal-Lyne, dans la nuit, et se demandait bien à qui ils étaient adressés, même si elle en avait une petite idée…

— Vous avez rapidement retrouvé Chrystal-Lyne hier soir ?

— Rapidement, non. Elle est revenue en plein milieu de la nuit. Kevyn était parti se coucher. Je ne sais pas trop comment on va arranger ça au montage, mais je crains qu'ils ne soient plus les favoris après la diffusion de l'émission demain soir.

— Et qu'est-ce qui est arrivé, exactement ? demanda Geneviève, curieuse.

— Exactement, je ne sais pas. Mais Chrystal-Lyne s'est entichée d'un type d'ici, un dénommé Poncho Revolutionne, ou Gringo Redemptionne, enfin quelque chose du genre, et elle est certaine que c'est l'amour de sa vie. C'est ce qui est enregistré là-dessus, en tout cas, dit le réalisateur, en montrant son sac d'ordinateur, où les fichiers avaient vraisemblablement été stockés. Moi, je ne juge pas. Je suis payé pour les suivre, c'est tout.

—Tu crois que Gonzo y est pour quelque chose? demanda Rosie, dès que le réalisateur eût quitté le bureau.

—J'en ai bien peur, oui.

—Tu vas être tranquille aujourd'hui, plusieurs de tes clients sont partis pour la journée à Saint-Domingue.

—Je sais, c'est étonnant. Habituellement, personne ne veut sortir d'ici.

Le trajet durait environ deux heures trente, mais pour des vacanciers qui ne passaient qu'une semaine à destination, c'était déjà trop long. Dommage, car la capitale dominicaine était vraiment pittoresque.

—C'est le couple de jeunes mariés, enfin de nouvellement mariés, parce qu'ils ne sont pas si jeunes, qui a convaincu un petit groupe de louer un bus.

—Annie Dion et David Simard... Ça ne m'étonne pas, ils sont tellement enthousiastes, ces deux-là! On devrait en avoir plus comme ça.

Geneviève était ravie de ce départ de masse, car elle se sentait un peu à plat. Elle avait décidé, en se levant, et sans trop savoir pourquoi, de remettre son essai de Ritalin au jeudi.

Le professeur France Tremblay entra à ce moment-là dans le bureau de Tour Exotica. Il portait un bermuda aux couleurs vives, une camisole blanche qui faisait ressortir tant son extrême pâleur que son abondante toison, et un chapeau d'explorateur Tilley.

— Geneviève, avez-vous eu le temps de jeter un coup d'œil sur mon questionnaire ?

Elle avait complètement oublié.

— Non pas encore, France, mais ne vous inquiétez pas, je m'y mets incessamment. On s'était parlé de demain, non ? Mais j'y pense, j'ai congé demain. Je crois que ça ira à jeudi, tout compte fait.

— Prenez tout votre temps... J'ai quand même une petite question pour vous deux, puisque vous êtes des dames des tout inclus. Est-ce que c'est possible que la présence d'araignées dans les chambres figure parmi les récriminations les plus fréquentes des voyageurs sous les Tropiques ? Je n'ai pas inclus de questions à ce sujet dans mon étude et je me demande si je ne devrais pas l'ajouter...

— Je vous dirais que les *cucarachas* sont davantage rapportées, répondit Rosie. Vous savez les gros cafards à la carapace dure, qui font «*crounch ! crounch !*» si vous les écrasez ?

— Ah ? Pas vu de *cucaracha*. Mais je vous ai parlé d'araignées... C'est que j'en ai plein dans ma chambre. De toutes petites araignées, mignonnes comme tout. J'imagine qu'il y a une maman non loin, mais nous ne nous sommes pas encore rencontrés.

Il rit de sa bonne blague.

Geneviève sourit, mais un peu jaune. Tous les agents étaient informés de la dangerosité de certaines araignées, rarissimes, heureusement, mais il ne fallait pas prendre celles de France Tremblay à la légère.

— Je vais envoyer quelqu'un vérifier ça dans votre chambre.

Elle prit le téléphone et composa le numéro des services sanitaires de l'hôtel.

— Ils se rendront sur place.

—Vous êtes efficace! Je vais noter ça dans ma recherche!

Marcel et Desneiges revenaient de leur pédicure royal lorsque Geneviève les rejoignit à l'heure du dîner. Son père avait les pieds comme neufs. Sans être devenus beaux comme tels, ils avaient à tout le moins l'air sain. Sa belle-mère arborait un vernis de la même teinte de turquoise que le bijou qu'elle avait acheté le matin même.

— Alors, ça vous a plu?

— À tout événement, ma fille, c'était un peu gênant, commença son père.

— Marcel a tué des poissons, dit Desneiges, qui partit d'un rire gras.

— Et toi, t'as hurlé comme un putois! rétorqua Marcel.

Tout d'abord interloquée, Geneviève se rappela que le Centre d'esthétique, dans une tentative d'imitation du très populaire Doctor Fish Ocean Spa, avait copié une de ses méthodes de détoxication. On trempait les pieds du client dans un aquarium rempli de petits poissons bleus, qui grignotaient la peau afin d'éliminer les cellules mortes.

Desneiges expliqua qu'une chaudière supplémentaire de poissons avait été nécessaire pour venir à bout des pieds de son père. Plusieurs d'entre eux étaient par ailleurs morts dans l'exercice.

— Si t'avais vu les poissons flotter sur le dos, Geneviève! dit Desneiges en continuant à rire. Une hécatombe! Les filles ont dit qu'elles avaient jamais vu ça.

— Elles n'avaient jamais entendu personne crier comme un putois non plus, parce que des poissons lui jouaient dans les pieds! répondit Marcel, visiblement agacé par le récit de Desneiges.

— Bon, j'avoue que quand on me chatouille, au lieu de rire, je crie.

Geneviève imagina les deux scènes avec effroi et se réjouit de ne pas les avoir accompagnés.

— À tout événement, c'était déplacé, répondit Marcel. On aurait dit...

— Je sais, Marcel, on aurait dit un orgasme... Et tout un à part ça!

— Desneiges!

Geneviève n'avait pu s'empêcher de crier en entendant sa belle-mère prononcer ce mot. Elle regretta aussitôt. Les vieux avaient quand même le droit à une sexualité, eux aussi!

— L'important, c'est le résultat, et vos pieds sont magnifiques, dit-elle en changeant de sujet.

Ses deux visiteurs prévoyaient aller passer leur après-midi à la plage, une première. Marcel était inquiet de «brûler», mais sa fille le rassura: avec sa crème et à l'abri sous un cocotier, tout devrait être sous contrôle.

En retournant à son bureau, Geneviève fit un nouveau crochet par la réception.

— Alejandra, j'ai un groupe qui est parti pour Saint-Domingue ce matin... Et j'ai aussi un client qui est parti en taxi. Tu sais où il se rendait?

— Le type baraqué aux yeux clairs?

— Oui, c'est ça.

— Il m'a demandé un taxi pour Saint-Domingue, lui aussi. Je lui ai dit que ça serait pas donné, mais il avait l'air de s'en balancer.

«Curieux, tout de même», se dit Geneviève, qu'un horticulteur de Terrebonne se paye un voyage en solo dans la capitale dominicaine. N'y avait-il pas assez de plantes et des fleurs à observer sur le site et dans les environs?

Rosie était dans une conversation animée avec Jacinthe Bisson lorsque Geneviève retourna à son bureau.

— C'est incroyable! s'exclama Rosie. Geneviève, tu ne peux pas savoir tout ce que Mme Bisson voit dans cet hôtel!

La veille, expliqua sa collègue, la synergologue et quelques-uns des participants du congrès international avaient mangé au restaurant Brrr! Ce qu'ils avaient observé était fascinant aux yeux de la jeune collègue de Geneviève.

— La moitié des couples ne sont pas vraiment amoureux. Dans un cas, il y avait même une hostilité évidente.

— Ah bon? demanda Geneviève.

«Pas besoin d'être synergologue pour faire ce constat», se dit-elle. Elle-même le voyait bien chez ces couples qui passaient des repas entiers sans ouvrir la bouche, regardant dans toutes les directions sauf celle de leur partenaire, visiblement mal à l'aise de se retrouver ainsi en tête-à-tête forcé pour sept jours. Mais elle était curieuse de connaître ce que Jacinthe pouvait observer.

— Et comment vous voyez ça?

Jacinthe Bisson expliqua comment les positions du corps et les expressions du visage pouvaient aisément révéler «l'état de la relation». Ainsi, l'hémisphère droit du cerveau contrôle les émotions, tandis que le gauche le fait pour le raisonnement. Lorsque le droit s'active, c'est le côté opposé du corps qui réagit et l'inverse est vrai.

— Alors si vous levez le bras gauche et vous tripotez une mèche de cheveux, surtout si vous les poussez vers l'extérieur, peut-être êtes-vous en état de séduction, dit-elle. De la même manière, si vous croisez votre jambe gauche et vous penchez du même côté, et si vous regardez en plus vers l'extérieur, vous fuyez en quelque sorte la personne assise devant vous.

— Mais le plus drôle, Geneviève, coupa Rosie, c'est qu'on peut voir si quelqu'un a une pulsion sexuelle en regardant son œil droit : la pupille se dilate lorsque ça arrive ! C'est génial, je dois commencer à observer ça chez les gars, au moins, je serai fixée plus rapidement.

Rosie collectionnait les déceptions sentimentales depuis son arrivée au Princess Azul, un an plus tôt.

— Mme Bisson, demanda Geneviève, est-ce possible que la pupille droite d'un homme reste perpétuellement dilatée ?

La synergologue la regardait avec étonnement.

— Vous devriez aller, vous et vos collègues, faire un tour à la piscine, et observer le prof de plongée en apnée, vous allez tout comprendre, répondit Rosie en éclatant de rire.

Jacinthe partie, Geneviève alla vérifier ses courriels pour voir si Balthazar s'était manifesté. Il avait envoyé un bref message pour lui dire qu'ils se parleraient durant le week-end, « qu'il avait une semaine de fou » et qu'effectivement, l'intérêt de la princesse qatarie « lui ouvrait de nouvelles portes ». Elle irait le lendemain à Bavaro voir le bijoutier dont lui avaient parlé les filles du Centre d'esthétique. Au moins, elle serait fixée sur la portion arabe de son site.

Alors qu'elle s'apprêtait à pondre un nouveau haïku, histoire de rester bien concentrée sur le moment présent, Geneviève reçut un appel des services sanitaires. La directrice en personne, Alicia Flores, était au bout du fil. Elle semblait à bout de souffle.

— La chambre de ton client, Francé Tréemmblé, est sous scellés, lui annonça-t-elle, ce qui rappela à Geneviève les pires moments de la crise cutanée, cinq mois plus tôt. Mais cette fois, il n'y avait aucun mystère.

— Les araignées retrouvées dans la chambre de ton client sont des *phoneutria*, aussi appelées des «araignées-bananes». Elles sont parmi les plus dangereuses de la planète! Elles peuvent tuer en deux heures!

— Bordel!

— Le pire, c'est qu'elles ne viennent pas de l'île! Ton client a expliqué aux gars de l'équipe sanitaire qu'il a acheté des goyaves au marché public. Probablement des importations brésiliennes, on n'en cultive pas ici. Parfois, elles sont mal nettoyées au port, et il reste des araignées comme celles qu'on a trouvées dans sa chambre. En tout cas, on est en train de tout désinfecter. Rien de vivant ne survivra à ça. Sauf que ton client n'aura plus de vêtements pour le reste de son séjour... Ils ont été incinérés, on n'a pas voulu prendre de chance.

Ce qui était un problème. Vraiment.

— Et il est où, en ce moment?

— Il a été déménagé dans une autre chambre. Il est en train d'être examiné par docteure Thu, qui veut s'assurer qu'il n'a pas de piqûres.

La médecin de l'hôtel, docteure Thu, faisait une tournée quotidienne dans le complexe, en plus de plusieurs autres dans la région.

— Bon, je vais aller le voir immédiatement, dit Geneviève, qui prit en note le nouveau numéro de chambre de France Tremblay.

Lorsqu'elle arriva à sa nouvelle chambre, située dans une zone moins prisée du complexe, l'universitaire était debout, complètement nu, hormis une serviette sur ses parties intimes. Il se faisait minutieusement examiner par docteure Thu. France Tremblay semblait terrifié mais surtout, humilié.

— J'ai presque terminé, Rhénébièbé, dit docteure Thu en tripotant le mollet du professeur, son minuscule nez à quelques centimètres seulement de la peau.

Elle avait une lampe frontale et des loupes géantes sur les yeux.

— Il est tellement poilu, c'est difficile de bien voir, poursuivit la médecin, qui trouvait la plupart des hommes blancs extrêmement velus, et le répétait sans cesse. Mais je crois que nos petites bestioles ne l'ont pas attaqué. Il a eu de la chance. C'étaient des bébés araignées.

— La mère n'a pas été retrouvée ? demanda Geneviève, soudain inquiète.

— Si, si, on m'a dit qu'elle avait été exterminée avec les autres.

Geneviève fit une traduction succincte de la conversation à son client.

— Je me sens mal tout à coup, annonça France Tremblay. J'ai froid, j'ai chaud, j'ai mal au cœur, j'ai des étourdissements...

Il était secoué de petits spasmes, ce qui fit soupirer d'exaspération docteure Thu. Geneviève le rassura, et lui dit qu'il s'agissait sans doute d'un choc émotif. Dans sa pratique, elle avait souvent vu des clients, se croyant malades, développer des symptômes inquiétants. Ils tombaient des nues lorsque leurs résultats d'examens s'avéraient négatifs. Certains étaient même déçus.

Voulant le distraire de la pénible inspection cutanée, Geneviève annonça à France Tremblay le sort qui avait été réservé à ses vêtements. Il parut consterné.

— L'hôtel vous prêtera des vêtements de rechange et demain, nous irons au centre commercial pour racheter ce qui vous manque.

Le professeur semblait au bord des larmes. Docteure Thu était en train d'examiner minutieusement son postérieur et France Tremblay dut même se pencher légèrement pour une fouille plus complète. En raison de la barrière de la langue, la médecin souhaitait que les agents l'accompagnent lorsqu'elle avait affaire à l'un de leurs clients. Et même pour ceux d'entre eux qui comprenaient un tant soit peu la langue de Cervantès, l'espagnol de Docteure Thu était extrêmement difficile à saisir en raison de son fort accent vietnamien.

— Ma femme et moi, nous avons mis des semaines à monter cette garde-robe de voyage, expliqua France Tremblay. Je voulais être le plus authentique possible dans cette expérience.

— Mais vous retrouverez tout au centre commercial de Bavaro, je vous assure !

Soudain, elle réalisa que le lendemain, mercredi, était sa journée de congé. Déjà qu'elle empiétait sur cette journée sacrée en se tapant plusieurs courses indispensables à l'anniversaire de son père, elle ne voulait pas devoir magasiner avec France Tremblay. Elle lui proposa de se rendre au centre commercial immédiatement après l'examen de docteure Thu. Ça serait fait, et il pourrait passer à autre chose.

Sur ce, la médecin émergea de son inspection, enleva ses appareils et ses gants, et annonça que France Tremblay n'avait manifestement pas été piqué par les araignées-bananes.

— Mais tu lui diras qu'il a quelques poils incarnés, et une peau très sèche, susceptible de provoquer de l'eczéma.

Le Palma Real Shopping Village de Bavaro était situé sur la carretera Barceló. On y trouvait toutes les marques en vogue, mais à des prix prohibitifs. L'endroit avait l'avantage d'être climatisé, il regorgeait de jolies fontaines et d'une luxuriante végétation. Sa crèche de Noël, spectaculaire, était très prisée des vacanciers. Elle avait été installée en octobre et était toujours là, en mars.

Geneviève accompagna France Tremblay dans une boutique de vêtements qui offrait une vaste collection pour hommes. Elle lui dit de faire un premier repérage, le temps qu'elle aille faire une course qu'elle avait prévu pour le lendemain mais voilà, elle était au Real Shopping, aussi bien en profiter.

Premier arrêt à la confiserie, où elle confirma et paya l'achat pour le vendredi de dix kilos de bonbons en forme d'outils. Elle avait eu un choc en les voyant, deux mois plus tôt : ils étaient en tout point semblables à ceux que son père leur achetait, à son frère et elle, quand ils étaient petits. Il y avait des marteaux, des pinces, mais pas les scies. À la place, des clous et des vis.

Tous ces bonbons serviraient à remplir la piñata, commandée dans une boutique spécialisée, située à l'extrémité nord du centre commercial. Geneviève s'y rendit rapidement, car elle ne voulait pas laisser France Tremblay seul trop longtemps. Il ne parlait pas un mot d'espagnol.

À la boutique *Loco Party Lococo*, on s'était étonné, deux semaines auparavant, de la demande de Geneviève pour des bonbons outils. Elle avait expliqué patiemment où se trouvait la boutique de confiserie. Ils n'auraient qu'à aller les chercher le jour même, et en remplir la piñata. Geneviève avait eu un coup de cœur pour un modèle en forme de tortue marine, comme celle qu'on retrouvait dans les eaux dominicaines. Il faisait changement des étoiles habituelles. Mais après coup, elle s'était dit que le message envoyé pouvait être quelque peu ambivalent : la tortue est un animal très lent, physiquement limité et vaguement asocial, avait-elle appris lors d'une excursion à l'aquarium locale. C'est un solitaire qui aime la tranquillité. Il est considéré comme un « animal sauvage archaïque », et on en sait fort peu sur lui. Selon le guide, l'ignorance humaine en ce qui concernait la psychologie de la tortue était « alarmante ».

Qu'importe, cette piñata était vraiment mignonne. Il fut convenu de la livrer au Princess Azul vers seize heures, vendredi.

France Tremblay avait peu progressé dans ses achats lorsque Geneviève le rejoint à la boutique de vêtements. Il n'avait qu'un short et un chemisier dans son panier, et il faisait la moue.

— France, vous devez choisir davantage de morceaux, car vous manquerez de vêtements !

— Je ne connais pas ces marques…

— Pourtant, ce sont les mêmes qu'on retrouve chez nous, regardez, dit-elle en prenant des bermudas Diesel. C'est vrai que tout est plus cher, mais les coûts seront pris en charge par nos assurances, ne vous inquiétez pas.

Le professeur avoua qu'il ne magasinait jamais sans sa femme et se faisait toujours guider minutieusement dans cet exercice. Geneviève prit donc les choses en main, d'autant plus que l'heure de l'apéro approchait, et qu'elle avait rendez-vous une fois de plus à la piscine avec Marcel et Desneiges. Elle avait réservé au restaurant Brrr! pour le souper.

Elle remplit le panier à ras bord, incluant sous-vêtements, maillots de bain et de nouvelles sandales de plage, les Crocs orange vitaminée ayant été incinérées. Après une bonne heure d'essayage, France Tremblay avait une nouvelle garde-robe digne d'un vacancier aguerri.

Le Bouddha

m'accorde un peu de temps

je fais la lessive

Le dernier haïku d'Isabelle laissa Geneviève perplexe.

Il lui rappela surtout qu'elle n'avait plus à faire de lavage depuis qu'elle vivait à demeure dans un tout inclus. Une fois par semaine, une femme de chambre emportait son sac de linge sale, qui revenait propre et bien plié quelques heures plus tard. Quelle libération!

Autre objet de bonheur: Geneviève n'avait plus à porter de bas de nylon. Quelques-unes de ses collègues, les Dominicaines, notamment, en mettaient, se plaignant de la fraîcheur des bureaux climatisés, et parce que ça faisait plus formel. Mais pas Geneviève. C'était l'un des très grands avantages de son job. Fini, l'achat à gros prix de bas qui allaient se déchirer au moindre contact avec l'air. Fini, l'inconfort de cet horrible tissu simili extensible. Finie, leur puanteur, après une journée passée dans des bottes d'hiver.

Isabelle lui avait envoyé un message personnel lui demandant si elle avait enfin terminé le livre qu'elle lui avait apporté. Son amie avait cru que *The Art of Sleeping*

Alone, ou l'art de dormir seule, de la journaliste française Sophie Fontanel, qui avait fait vœu de chasteté, ou quelque chose du genre, allait lui servir de livre de chevet. Elle avait à peu près son âge et vivait, tout comme Geneviève, dans un désert émotif qu'Isabelle trouvait déplorable. Elle lui répondit que non, mais qu'elle allait le commencer sous peu.

— *Snowy*! *Darling*!

Sylvia avait exagérément embrassé Desneiges lorsqu'elle l'avait vue, en compagnie de Geneviève et Marcel, en route vers le Brrr!

— Tu viens toujours demain?

Desneiges répondit oui, tout en glissant un regard vers Geneviève lui signifiant qu'elle allait lui expliquer plus tard ce qui se passait.

— On part à huit heures!

Une fois sa collègue et amie éloignée, Geneviève se tourna vers sa belle-mère.

— Desneiges?

— Je vais au village de Gonzo demain. Je veux tourner une vidéo pour mon blogue. Apparemment, on y trouve de la nourriture gastronomique.

— Bon, d'abord, c'est pas un village, c'est devenu la banlieue d'une affreuse ville. Et puis c'est loin! C'est un trajet ardu!

— Ma chérie, fais confiance en la vie…

Geneviève détestait lorsque son ex-belle-mère sortait sa réplique passe-partout, qui signifiait essentiellement:

« tu es trop *straight*, stressée, anxieuse, déniaise, ma belle. »
Lorsqu'elle avait eu des problèmes avec son ex, qui se
trouvait aussi à être le fils de Desneiges, celle-ci sortait
toujours cette réplique : fais confiance en la vie.

La vie, ce soir-là, se passait dans ce nouveau et curieux
restaurant que le Princess Azul avait inauguré, deux mois
plus tôt. Le Brrr! se voulait un concept révolutionnaire :
dans un petit paradis tropical, chaud et humide, l'idée
de manger un soir des plats frigorifiés dans un décor
rappelant un igloo allait devenir un nec plus ultra, avait
expliqué le directeur marketing de l'hôtel, sûr de lui.
Le chef cuisinier Pep Bolufer avait aussitôt proposé un
menu avant-gardiste composé d'ingrédients congelés/
décongelés/recongelés/redécongelés. Mais le résultat n'était
apparemment pas concluant. Les clients se plaignaient
des textures bizarres et d'arrière-goûts déplaisants. Ce
repas serait l'occasion pour Geneviève de valider toutes
ces impressions reçues.

Premier constat : le Brrr! était plutôt désert. Ce que
le directeur marketing n'avait sans doute pas évalué, lui
qui vivait douze mois par année dans ce paradis tropical,
chaud et humide, c'est que des vacanciers nordiques
qui venaient se réfugier au soleil en février n'auraient
certainement pas envie de souper dans un tel endroit.
Ils voulaient suer, dans un décor de bois et de végétation
luxuriante. Le Brrr! était une réplique style Art déco
d'un igloo, avec des murs arrondis, peints en faux blocs
de neige. Tout le décor était dans des teintes bleutées,
froides, austères.

Geneviève sut dès qu'elle s'y assit qu'elle détesterait
l'endroit.

— Ma fille, il fait frisquet ici, lui dit Marcel, et
Geneviève réalisa soudain que le restaurant pourrait
plonger son vieux père dans un état catatonique s'il se

mettait à l'associer au Grand-Nord et au départ de sa femme bien-aimée.

— C'est l'idée, papa. Desneiges, ça va de ton côté?

Sa belle-mère avait sorti son *iPhone* et commencé à filmer l'endroit.

— Bien sûr, ma chérie. Ça me rappelle une vidéo que m'a envoyée récemment un de mes jeunes sur mon blogue. Il avait filmé ça en Afrique... C'était dans une usine de poulets et les pauvres bêtes étaient congelées avant même d'avoir trépassé.

— En Afrique, Desneiges? demanda Marcel, qui fit aussitôt un clin d'œil à sa fille, avec un sourire moqueur, l'air de dire: « ça y est, elle est sénile, et pas moi. C'est pas comme ça que j'imagine l'Afrique. À tout événement, ça me rappelle plus... le Grand-Nord. »

Geneviève vit le visage de Marcel se rembrunir en disant ces deux mots fatidiques, et elle décida de changer immédiatement de sujet.

— Vous voyez le couple qui vient d'entrer? Eh bien, ce sont des nouveaux mariés!

Elle salua exagérément Annie Dion et David Simard. À sa grande joie, le couple se dirigea vers elle, tout sourire. Trois jours de soleil les avaient considérablement brunis. La femme portait une robe jaune très moulante et excessivement décolletée. Son mari, des bermudas blancs et un polo crème.

— Geneviève!

Les présentations faites, Annie s'extasia.

— C'est trop *cute*! Vous faites un beau couple, dit-elle en tapotant les joues de Marcel et de Desneiges. Vous avez de la chance d'avoir une fille qui travaille dans un paradis comme ici!

Personne ne prit la peine de corriger les faits. Geneviève leur demanda comment ils avaient trouvé la capitale, Saint-Domingue.

— Mon Dieu, ça m'a rappelé La Havane, mais en moins détruit, répondit Annie. Y'a pas eu de guerre, ici, hein? À Cuba, ils ont détruit La Havane…

— C'était vraiment intéressant, répondit son mari, qui fut aussitôt interrompu par sa femme.

— Intéressant… ça dépend si on aime passer sa journée dans un bus, le coupa Annie Dion, qui partit d'un grand éclat de rire.

David avait été incommodé par la nourriture prise dans un buffet chinois et avait demandé à retourner au bus. Le reste du groupe l'avait rejoint en fin d'après-midi. Il l'avait retrouvé endormi sur la banquette arrière.

— Il avait passé à travers un paquet de Zantac, dit Annie, toujours aussi hilare.

— Il y a tellement de bons petits restos là-bas, dit Geneviève. Pourquoi le buffet chinois?

— En fait, le buffet chinois-dominicain, c'est ça qui était écrit sur le menu, répondit Annie. C'est que le beau-frère de notre chauffeur est le proprio du resto. Il nous a dit que ça serait plus simple. En fait, il ne nous a pas laissé vraiment le choix…

Elle semblait soudain perplexe.

— *Anyway*, ça été bien plaisant, poursuivit David. Mais là, on profite au max de l'hôtel. On sort pu! Maudit que c'est beau…

Le serveur apporta à ce moment quelques plats à la table et le couple Dion-Simard en profita pour aller s'asseoir à la leur. On ne choisissait pas ce qu'on mangeait, au Brrr! Il n'y avait qu'un menu, élaboré selon les congélations en cours. Ce soir-là, l'entrée était composée de légumes verts accompagnés de légumineuses, lentilles en tête.

— Ça fait un drôle de *crounch*! dit Desneiges, qui prit aussitôt son téléphone pour filmer son assiette. Elle demanda à Marcel de tenir l'appareil pendant qu'elle commentait le bruit que faisaient les légumes sous sa dent.

En fait, la texture était si inhabituelle, se dit Geneviève, qu'il devenait impossible d'en identifier la nature avec exactitude. Était-ce du caoutchouc? Elle n'en avait jamais mangé. Elle pensa à des feuilles de cactus, même si elle n'en avait jamais mangé non plus. De la colle? Des tiges de pissenlits? Des troncs de baobabs?

Marcel grimaçait. Desneiges trouvait cela «bien spécial».

Geneviève décida de commander immédiatement une bouteille de vin. En souhaitant intérieurement qu'il n'ait pas subi le même processus de congélation/décongélation.

Mais le Rioja était à la température idéale. Il eut pour effet de réchauffer l'atmosphère.

— Ma fille, je ne m'attendais pas à manger dans un igloo à Punta Cana. Toi qui as toujours détesté le Grand-Nord...

Geneviève était mal à l'aise. Le sujet «mère» était délicat dans la famille.

— C'est un resto que j'essaie ce soir pour la première fois, mais bien franchement, papa, je ne crois pas que je vais devenir une habituée.

— À tout événement, ça ne m'étonne pas. Desneiges, dit-il en se tournant vers elle, il fallait que je la pousse dans l'avion quand venait le temps d'aller voir sa mère à Kuujjuaq.

— C'est vrai, la pauvre Claire…

— Pauvre Claire? C'était son choix! rétorqua Marcel, dont les joues avaient rosi sous l'effet du vin.

— Je parle de sa mort! Empoisonnée en mangeant du phoque, quel dommage, quand même. La nourriture ne devrait jamais tuer, elle est source de vie! Tiens, je vais noter ça tout de suite, et l'écrire sur mon blogue ce soir. Je trouve ça très beau.

Desneiges ouvrit son application « notes » et Geneviève en profita pour faire diversion.

— J'ai envie de vous amener tous les deux au Parc écologique Indigenous Eyes ce vendredi, si je peux me libérer exceptionnellement quelques heures. C'est ton anniversaire, papa. Ou encore samedi matin, j'ai toujours du temps pour moi. Je vais vous montrer à faire du Segway, vous allez adorer ça.

— Tu sais que le petit Michel revient ici à la fin du printemps? lui dit Marcel, comme s'il n'avait pas entendu la phrase de sa fille, ou qu'il se balançait complètement du Parc écologique.

— Quoi? Mais pour quoi faire?

Geneviève était franchement surprise, et pas du tout agréablement. Elle avait développé un lien d'amitié avec le gastroentérologue, leurs échanges étaient amusants, et Pierre Sansregret était un homme d'esprit. Mais ça n'était que cela, justement, de l'amitié. Pouvait-il encore mal interpréter ses sentiments? Qu'est-ce qu'elle ferait de lui durant toute une semaine? Malaise.

— Je crois qu'il est amoureux, dit Marcel d'un air coquin. Je ne connais pas beaucoup mon gars, mais ça se sent, ces choses-là.

— Je vais vous apporter les brochures, pour le parc Écologique, dit Geneviève, qui souhaitait ardemment changer de sujet. C'est fou le nombre d'espèces végétales qu'on y retrouve. Et le fait de déambuler en Segway est beaucoup plus reposant, surtout lorsqu'il fait très chaud.

— J'ai toujours pensé que Claire m'avait quitté parce que je n'ai pas pu empêcher la famille du petit Michel de venir le reprendre, poursuivit Marcel, en se servant une nouvelle rasade de Rioja. Mais en même temps, c'était sa vraie famille, non?

— Je parle depuis tout à l'heure de la végétation du parc écologique, coupa Geneviève. Mais il y a aussi trois lagons d'eau douce, et on peut s'y baigner entre les nénuphars. Remarquez que je déteste me baigner dans l'eau douce, mais bon, pour ceux qui sont amateurs.

Marcel but une nouvelle rasade de vin.

— Mais on était aussi sa vraie famille... Claire avait raison là-dessus. Il n'avait connu que nous. À tout événement, il ne semble pas en avoir gardé de traumatisme.

— Et les oiseaux du Parc Indigenous Eye! Je vais vous trouver une paire de jumelles pour que vous puissiez les admirer. Tiens, je note ça tout de suite: demander des jumelles à la conciergerie...

— Wow! s'exclama soudain Desneiges, ahurie. Je suis dans une émission de téléréalité sur le thème du monologue intérieur ou quoi? On peut me décrypter tout ça, s'il vous plaît? Marcel, de qui tu parles, doux Jésus?

Geneviève et Marcel la regardèrent, surpris.

— Je parle du petit Michel, Desneiges.

Il partit dans une explication que Geneviève jugea interminable sur cette histoire d'adoption qui avait mal fini: le retour de l'enfant chéri dans sa famille biologique. La dépression de Claire. Son impuissance. Puis les retrouvailles avec Michel/Pierre quelques mois plus tôt, au

Princess Azul. Et il conclut en disant que cet événement avait coûté son mariage, puisqu'il ne voyait pas d'autres «raisons» au départ de Claire vers le Grand-Nord, en compagnie d'un jeune Inuit dont elle se disait amoureuse.

— La maison avait été rénovée de fond en comble. Dès qu'il y avait un problème, j'arrivais avec mes outils, dit Marcel en poussant un long soupir, et en signifiant au serveur qu'on avait besoin d'une nouvelle bouteille de vin.

— Marcel, commença doucement Desneiges. Fais confiance en la vie. Tu as retrouvé cet enfant, devenu un célèbre gastroentérologue. Et tu en as deux autres, en très bonne santé.

Geneviève s'attendait à d'autres attributs que cette «très bonne santé», mais Desneiges avait déjà sauté une génération.

— Et regarde tes petits-enfants. Les jumeaux sont magnifiques, des génies, chacun dans leur domaine. Et tu as les deux autres, plus jeunes, les enfants de Luc…

— Oui, Mathis-Olivier et Sarah-Maude, ils sont adorables, répondit Geneviève.

— Tu vois? Il ne faut pas regretter le passé. Et encore moins une morte. On ne peut plus rien pour eux. J'en sais quelque chose, Marcel, je suis veuve depuis plus de quarante ans.

«Quarante ans de fête», se dit Geneviève, qui connaissait le goût de sa belle-mère pour les hommes plus jeunes et encore fringants.

La deuxième bouteille de vin avait été servie, de même que le plat principal, une viande inconnue nappée d'une sauce verte et accompagnée de pommes de terre sucrées et d'une purée de navet qui fumait en achevant de faire fondre des restes de glaçons. Ce repas était un cauchemar, se dit Geneviève, tant pour la bouffe que pour la conversation. Puis, elle se ravisa en voyant son père, soudain plus détendu. Il avait sans doute besoin de parler de cette vieille histoire. Elle chercha tout de même sur son *iPhone* le site du Parc écologique Indigenous Eyes, à la recherche de nouveaux faits, au cas où elle devrait à nouveau subitement changer la conversation.

— Tu es encore jeune, Marcel, et bel homme, dit Desneiges en prenant sa main. Il y a certainement une femme, à ta résidence, qui n'attend qu'un signal de ta part. Ne fais surtout pas comme Geneviève!

Père et fille levèrent la tête de leur assiette, l'air interrogateur.

— Geneviève est une belle femme, intelligente, sensée, travailleuse, honnête et solide. Elle est aussi remplie de joie de vivre. Et avec quoi elle s'est ramassée pendant des années? Un prof d'université raté et laid comme un pou!

— Quoi? demanda Geneviève, outrée que sa belle-mère puisse parler ainsi de son ex, Paul.

Marcel partit d'un grand éclat de rire.

— J'ai toujours enseigné à mes enfants de ne pas se fier aux apparences, dit-il.

— Y'en a qui ont pris ça au pied de la lettre! répondit Desneiges, et les deux rirent à gorge déployée, jusqu'à ce que Marcel montre des signes d'étouffement et que Desneiges émette un rot, suivi de petits hoquets.

— Au moins, c'est pas le père de ses enfants...

Nouvel éclat de rire des deux septuagénaires.

Le père de ses enfants! Geneviève en avait long à dire sur lui, mais la maman de l'homme en question était assise en face d'elle, dans un restaurant glacé où la nourriture était immangeable.

Elle prit son téléphone.

—Avant d'oublier, pour notre petite sortie au Parc écologique, je voulais vous signaler qu'il y a aussi des petites tortues qui gambadent près des lagons, et des perroquets dans les arbres. C'est vraiment un *must see.*

Geneviève se coula dans son bain. Elle avait tout son temps, ce soir, puisque c'était congé pour elle le lendemain. Elle pourrait veiller plus tard, lire un peu, ou regarder quelques séries télé qu'elle se promettait de visionner, sans jamais en avoir le temps.

L'eau chaude et moussante lui parut encore plus délectable que d'habitude. Le souper avec son père et sa belle-mère ne s'était pas si mal déroulé, elle dut en convenir, malgré quelques tensions. Le problème venait d'elle. Certains sujets étaient trop délicats et éveillaient un malaise. Elle faisait un blocage systématique au lieu de laisser aller la conversation. «Venant d'une psy, c'était nul», se dit-elle, en buvant de l'eau citronnée, pour aider à digérer l'horrible repas au Brrr!

«C'est ce resto qui aurait dû passer au feu, et non pas l'exquis Fuzion Japonese», se dit-elle.

Elle allait avoir cinquante ans dans un an et des poussières. N'était-il pas temps pour elle d'aborder avec plus de légèreté ces «affaires» familiales?

Elle prit son portable avec elle dans son lit, dans l'espoir de commencer la fameuse série *Homeland* dont on lui parlait tant. *The Art of Sleeping Alone* pouvait attendre encore quelques jours. Mais elle eut le malheur d'aller sur Facebook et y resta accrochée trop longtemps.

Desneiges avait publié un nouveau statut. «La nourriture ne devrait jamais tuer, elle est source de vie!» avait-elle écrit, ce qui fit sourire Geneviève. Une quarantaine de «j'aime» avaient étés cliqués. Une photo accompagnait la publication. On les voyait tous les trois, Desneiges, Marcel et Geneviève, entourant un plat peu ragoûtant, ce qui donnait tout son sens à sa petite phrase. La nourriture du Brrr! était potentiellement mortelle.

Comme souvent sur les photos, Marcel avait l'air hagard. Geneviève, de son côté, avait l'air préoccupée. Seule Desneiges affichait une décontraction totale.

Geneviève s'endormit en méditant sur le dernier haïku envoyé par son amie Isabelle, apparemment un classique du genre:

Dans la vieille mare,

une grenouille saute,

le bruit de l'eau.

Mais au lieu de grenouilles sautillantes, des images de joyeux dauphins, s'échappant d'un t-shirt pour sauter dans les vagues, apparurent alors qu'elle amorçait le début de son sommeil paradoxal.

Mercredi

Geneviève s'était levée plus tôt qu'elle ne le faisait habituellement le mercredi, son jour de congé, pour assister au départ de sa belle-mère vers le barrio Guachupita. Sylvia avait loué un jeep. Sa belle-mère était assise à l'arrière, avec Romualda, tandis que Kioko était la navigatrice désignée. Celle-ci n'avait normalement congé que le jeudi, mais elle avait feint un « état grippal » le matin même pour prendre une journée supplémentaire. Elle la méritait bien, dit-elle, après la centaine d'heures supplémentaires accomplies la semaine précédente lors du mariage semi-princier d'un richissime couple d'Hiroshima.

Desneiges avait rempli à ras bord un sac de nourriture du buffet, et une demi-douzaine de bières locales, des Presidente, avaient été mises dans un autre sac.

— De grâce, soyez prudentes !

Elle reçut un message provenant de Rosie, qui lui demandait de passer brièvement au bureau.

— Je sais que c'est ta journée de vacances, Geneviève, lui dit-elle quelques minutes plus tard, mais le directeur général veut te voir. Paloma m'a dit que ça prendrait quelques minutes et, surtout, que ça n'était pas grave.

Rosie savait que Geneviève angoissait dès qu'elle se faisait appeler par la direction et qu'il fallait la rassurer aussitôt. Ses tentatives de fuite devant la perspective de monter à la direction – mal de ventre soudain, appel urgent de Montréal, inondation dans la chambre d'un client – étaient pathétiques, mais bien réelles.

Federico del Prado était tout sourire lorsque Geneviève s'assit face à lui dans son lumineux bureau. Il portait un polo crème qui mettait en valeur son teint basané et le vert irrésistible de ses yeux en amandes. Il avait de nouvelles taches de rousseur, constata Geneviève, sans doute en raison de sa nouvelle passion pour les activités extérieures.

Derrière lui, la photo de Rafael Nadal avait été déchirée, puis recollée grossièrement. Devant l'air interrogateur de Geneviève, il dit simplement que «Rafael avait eu un petit accident».

Tout le personnel du Princess Azul avait entendu parler de la réaction du directeur général lorsque le joueur de tennis espagnol avait perdu un tournoi majeur, quelques semaines auparavant. Son assistante, Paloma, avait raconté qu'il avait d'abord crié, ce qui n'arrivait jamais, puis pleuré, ce qui n'arrivait pas souvent non plus, avant de s'enfoncer dans un silence qui avait duré plusieurs heures.

— Je vous ai fait venir, Rhénébièbé, pour vous parler de votre belle-maman. La dame de Los Nieves, dit-il, en traduisant le nom de Desneiges en espagnol.

— Elle n'écrit que des choses très positives sur la cuisine de l'hôtel sur son blogue, si ça peut vous rassurer, répondit aussitôt Geneviève, qui appréhendait le pire.

— Ah bon? J'ignorais qu'elle avait un blogue. Non, en fait, c'est que j'ai une menace de démission sur le dos...

Geneviève haussa son sourcil droit, se demandant du coup ce que cela pouvait signifier en synergologie. Par ailleurs, l'iris de son œil droit était-il dilaté?

— Notre chef, Pep Bolufer, dit qu'il est victime de harcèlement physique et psychologique de la part de votre belle-maman. Je ne vous dis pas dans quel état il était hier quand il est venu à mon bureau.

— Si vous me dites qu'il était en colère... Eh bien! Ça n'est pas très inhabituel, dit Geneviève en souriant, espérant ainsi démontrer à Federico del Prado Mayor que les menaces de son chef cuisinier ne pouvaient pas être très sérieuses.

Le directeur général sortit une petite liste, et se mit à énumérer une série de récriminations à l'endroit de Desneiges, rédigées par Bolufer: vagabondage dans la cuisine, commentaires disgracieux sur la qualité de la nourriture, obsession pour le pâté de viande, intrusion maléfique dans la préparation des plats, encombrement corporel...

— Qu'est-ce qu'il veut dire par là?

— Je l'ignore...

Il continua avec une accusation d'encouragement à l'insubordination et termina avec une autre de zoophilie aggravée.

— Hein?

— Elle aurait apporté l'un des chatons qui vagabondent dans nos jardins dans la cuisine, lors d'une visite. Au point de vue hygiénique, c'est gravissime.

Del Prado continua en déblatérant contre les chats du Clan Corleone, envahissants selon ses dires, et souligna qu'un plan de stérilisation était prévu au printemps.

— Comprenez-moi bien, Rhénébièbé, votre belle-maman est charmante. Elle m'a même invité à l'anniversaire de votre père, vendredi. Je ne sais pas si je pourrai y aller, mais bon, elle est si... vive, expressive. Elle me rappelle...

Federico del Prado semblait perdu dans ses pensées.

— Elle me rappelle une domestique qui vivait avec nous, dans notre maison de Madrid, lorsque j'étais petit... Où était-ce à l'hacienda du Rio Duero ? C'était une femme originaire des îles, de Trinidad, il me semble, très corpulente, elle chantait tout le temps en créole et nous préparait des crêpes aux amandes grillées.

Federico del Prado se remémorait de doux souvenirs d'enfance. Il souriait béatement. Il ne manquait qu'un filet de bave au menton.

— Carmela. Elle s'appelait Carmela.

Le directeur général fit une pause et leva vers Geneviève des yeux tristes. Le vert tira soudain vers le noisette.

— Et un jour, elle nous a quittés...

Son regard se rembrunit davantage. Geneviève crut qu'il allait éclater en sanglots, lorsque la sonnerie de son cellulaire – un air d'opéra, ce qui la fit tressaillir – l'extirpa de ses pensées. Il se débarrassa rapidement de son interlocuteur, puis se tourna vers Geneviève pour une ultime recommandation.

— Suggérez à votre belle-maman de ne plus se rendre dans les cuisines. Je ne veux pas avoir à gérer la démission de mon chef cuisinier. Il y a une pénurie mondiale de chefs, et Bolufer est un génie. Dans son genre.

La bijouterie Ghazem et fils était située sur la rue Cruce de Veron, au cœur de Bavaro. À dix heures, elle était encore peu fréquentée et Geneviève se dit que ça serait le moment idéal pour demander un petit service à son propriétaire : lui traduire la page Web en arabe de son fils Balthazar.

Elle s'attarda devant les comptoirs de la bijouterie, cherchant désespérément un joyau ne dépassant pas quarante dollars, ce qu'elle trouvait bien suffisant pour connaître la vérité sur le mystérieux site.

Albert Ghazem lui montrait les derniers arrivages. Il parlait français et avait des cousins à Montréal, ce qui facilitait le contact. Il invita Geneviève à boire un thé. Il était atrocement sucré, mais à la guerre comme à la guerre, il fallait mettre cet homme de son côté.

— Hmmm, délicieux, ce thé. Je vais essayer cette bague, dit Geneviève en lui pointant le bijou le moins cher de tout le magasin.

— Madame a du goût, répondit Albert Ghazem, qui aurait sans doute voulu dire « Madame est *cheap* » se dit Geneviève. Elle essaya la bague, puis annonça qu'elle allait l'acheter « pour sa fille ». Puis, elle décida d'aller de but en blanc.

— Pendant que je suis ici... J'ai un petit service à vous demander, c'est pour l'un des clients du Princess Azul, qui viendra sûrement faire des achats chez vous, par ailleurs. Il s'intéresse à un artiste... Mais le site Web de cet artiste, un peintre, est rédigé en arabe. Mon client aimerait en connaître davantage. Est-ce possible de vous le montrer ?

— Oui bien sûr, pas de problème.

Geneviève s'installa devant l'ordinateur de la bijouterie Ghazem, un modèle haut de gamme, et tapa l'adresse de

Balthazar. Puis, elle cliqua sur le mystérieux lien en arabe. La page apparut en un clin d'œil.

—Voilà... C'est cet artiste.

Le bijoutier mit ses lunettes et se pencha pour lire. Geneviève se sentait aussi angoissée que lorsqu'elle était chez le médecin et attendait les résultats de ses tests.

— Il s'agit d'un artiste canadien... Un artiste vivant à Montréal, dit-il d'emblée. Il... il n'a que vingt et un ans et il est considéré comme l'un des plus prometteurs de sa génération, peut-on lire ici.

Geneviève sourit. Balthazar n'avait jamais manqué de confiance en lui, ce qui était quand même une bonne chose dans la vie.

— Il s'appelle... Bal... Balthazirrr... Balthazir... J'arrive difficilement à déchiffrer le nom de famille, ça arrive quand on transpose un nom français en arabe... Je crois que c'est Canada. Balthazir Canada. C'est logique, il vient du Canada.

«Mignon, tout de même», se dit Geneviève, son fils avait pris son nom de famille à elle, et pas celui de son père. Et lâché le surnom de Balto pour prendre son vrai prénom. Il était temps.

— Et pourquoi cette photo où il a ce pinceau entre les orteils? demanda Geneviève.

Albert Ghazem poursuivit sa lecture, puis se redressa.

— Il est handicapé... Il peint avec ses pieds parce qu'il est paralysé des bras.

Geneviève eut un hoquet et faillit recracher sa gorgée de thé sirupeux.

— Handicapé? C'est ce qui est écrit? Est-ce qu'il raconte comment c'est arrivé?

Ghazem se pencha à nouveau pour lire.

— Il est né comme ça… Un accident à sa naissance, un manque d'oxygène, ou quelque chose du genre. Il a développé sa technique dès sa plus tendre enfance. Apparemment, il a dû surmonter beaucoup d'épreuves, sa famille était dysfonctionnelle, sa mère droguée, et son père est décédé des suites… Attendez… Des suites du sida. Mon Dieu! Pauvre garçon…

Geneviève en avait assez entendu.

— Il est soutenu par une riche fondation qatarie vouée aux artistes handicapés, poursuivit Albert Ghazem, tandis que Geneviève se levait pour partir. Il s'agit de la fondation de la princesse Leila Baba Ben El Yameni, une femme très séduisante. Cet artiste est entre bonnes mains… Dommage qu'il ne puisse pas utiliser les siennes! ajouta le bijoutier en éclatant de rire.

Geneviève était en état de choc. Elle décida de ne pas prendre immédiatement un taxi, plutôt de marcher un peu, le temps de décompresser. Elle était furieuse. Comment son Balthazar avait pu inventer pareilles balivernes pour vendre une toile? Combien de temps avant qu'il ne soit démasqué? Quelles seraient les conséquences? Et d'où ça lui était venu? De son père? À cette idée, Geneviève eut un haut-le-cœur.

Il faut dire que la chaleur commençait à s'intensifier. Marcher n'était peut-être pas une bonne idée. Elle chercha un taxi, mais il n'y en avait aucun en vue. Elle continua son chemin, mais ça devenait vraiment insupportable. Elle suait à grosses gouttes. Elle décida de prendre les grands moyens, et se dirigea vers un petit groupe de jeunes juchés sur leurs *motochonchos*, des scooters à la mode dominicaine.

— Qui ici a une fiancée? demanda-t-elle au petit groupe.

— Moi! répondit un garçon dans la vingtaine, et elle veut même me marier!

Cela fit rire tout le petit groupe, qui y alla de remarques que Geneviève n'arriva pas à comprendre complètement, sinon qu'elles étaient obscènes.

— Eh bien, veux-tu lui donner cette magnifique bague? demanda Geneviève en sortant de son sac la boîte contenant le bijou acheté chez Albert Ghazem. Regarde comme elle est jolie...

Le garçon l'observa, curieux.

— Elle est à toi, et à ta fiancée, si tu m'amènes illico au Princess Azul.

Assise derrière sur le *motoconcho*, Geneviève se sentit soulagée de s'être débarrassée d'un bijou qui lui aurait éternellement rappelé l'image de son fils en train de peindre avec ses orteils.

Elle devait tenir fermement son jeune chauffeur, car les zigzags qu'il faisait pour éviter les trous dans la rue menaçaient de la faire expulser du scooter à tout moment. C'est alors que le duo traversait une intersection, un peu au ralenti, qu'elle vit son client, William Morane, sortir d'une banque, accompagné d'un homme avec qui il était en grande conversation. Il s'arrêta net lorsqu'il vit sa représentante à destination, à cheval sur un scooter, et qui la regardait avec surprise. Il ne la salua pas, et détourna prestement son regard.

Geneviève eut le temps de voir qu'il portait un nouveau t-shirt, cette fois représentant une famille complète de dauphins. Elle se demandait que faisait cet horticulteur malpoli à la sortie d'une banque, en compagnie d'un homme, visiblement un local, au look douteux.

Puis, elle dit à son jeune chauffeur qu'elle avait changé d'avis sur sa destination.

— Dépose-moi plutôt au Grand Palladium Tropical Miracle Occidental.

Geneviève en était à son dixième abat, et elle commençait tout juste à mieux respirer. À cette heure, la salle de quilles du Grand Palladium était déserte.

L'hôtel l'avait aménagée sur le thème «petite ville du Midwest américain» et tout y était: les drapeaux américains, les fanions d'équipes fictives de football et de basket d'une tout aussi fictive école secondaire, le bar avec des ailes de poulets panées à la sauce sucrée et de la bière *Star of the North*, brassée dans le Minnesota.

Exceptionnellement, car il n'était que onze heures du matin, Geneviève en enfila une. Après tout, elle était en congé. Et après tout, son fils adoré de vingt et un ans se faisait passer pour un paralysé du tronc.

Jouer aux quilles finit par l'apaiser un peu.

Les salles de *bowling* avaient cet effet sur elle. Elles étaient rassurantes. Il y avait un ordre, une logique dans les quilles. Si on lançait la boule comme il faut, on faisait un abat. Si on la lançait croche, elle roulait sur le côté. Entre les deux, on pouvait abattre une, deux, trois, jusqu'à neuf quilles. Et elles se redressaient toutes par enchantement.

La psy en elle convint que cette métaphore était plutôt boiteuse. Elle savait d'où lui venait cet effet calmant des quilles. Après le départ de sa mère dans le Grand-Nord, Marcel avait amené ses enfants au Spot Bowling, sur le boulevard Gouin, pendant dix jours d'affilés. Là, la tension tombait, tout le monde se sentait plus léger.

Puis, son père avait cessé d'aller aux quilles. Elle ne lui avait même pas proposé de l'accompagner au Grand Palladium, elle savait qu'il dirait non.

De son côté, elle s'était retrouvée à faire des abats à chaque moment difficile de sa vie. Lorsqu'elle s'était séparée du père de ses enfants, après avoir appris qu'il la trompait avec l'éducatrice du CPE ; lorsque Balthazar avait été refusé à l'école secondaire privée où, pourtant, sa jumelle avait été admise haut la main. « Comment pouvez-vous séparer ainsi des jumeaux ? C'est de la cruauté mentale et physique », s'était insurgée Geneviève au directeur. « Ce qui serait cruel, madame, ça serait d'accepter un jeune qui a eu 22 % en maths, et aussi peu en français. » Plus récemment, les quilles avaient été son refuge après qu'elle eut agressé son client, Sylvain Lemieux, et compris que les conséquences seraient graves.

Elle en était à cette réflexion sur le sens de la vie, dans une salle de quilles, lorsqu'elle eut une illumination. Elle revit William Morane devant la succursale bancaire de Bavaro. Et dans sa tête, deux plus deux égalèrent quatre.

— T'es pas en congé, aujourd'hui, Geneviève ?

Congé ou pas, Geneviève voulait vérifier le *flash* qu'elle venait d'avoir dans l'allée de quilles du Grand Palladium.

— Rosie, te souviens-tu vers quelle date l'hôtel nous a envoyé cet avis sur un groupe de terroristes écologiques qui projette d'attaquer le Manatí Park afin de libérer les dauphins en captivité ?

— Hmmm... Je dirais que ça fait deux ou trois mois ?

Geneviève entra des dates et des mots-clés et trouva ce qu'elle cherchait.

Le courriel était intitulé « alerte terroriste ».

Chers agents,

Interpol nous a mis en garde contre une possible attaque du Manatí Park par un groupe d'écoterroristes qui disent vouloir libérer les dauphins en captivité. Leurs origines sont nébuleuses, de même que leur modus operandi. Cependant, il est possible qu'un ou plusieurs membres de cette organisation terroriste écologique veuillent se faire passer pour des vacanciers et séjournent incognito dans les tout inclus de la région. Interpol nous demande donc d'être vigilants, et de rapporter tout individu au comportement louche.

La direction de la sécurité de l'hôtel poursuivait en détaillant les « comportements louches » à repérer, parmi lesquels figuraient les propos « exagérément environnementalistes » (une liste était dressée), et le port de vêtements « écologiquement ostentatoires ». Un croquis accompagnait cette dernière recommandation. On y voyait un bébé panda, un œil au beurre noir et des fils barbelés autour du cou, avec l'inscription *SAVED* en lettres capitales.

— Bordel...

— Quoi ?

— Morane... William Morane. Il est tellement louche, ce type, peut-être est-il un de ces écoterroristes ?

Geneviève lui parla de son comportement étrange lorsqu'elle l'avait surpris, couché dans des buissons d'orchidées, comme s'il faisait le maquis vietnamien ; de son départ en taxi la veille pour Saint-Domingue ; de son mystérieux rendez-vous du matin dans une succursale bancaire de Bavaro ; de son attitude tellement anti-vacancière et enfin, de son obsession pour les t-shirts de dauphins, des vêtements « écologiquement ostentatoires ».

— Et puis, tu peux pas être bête comme ça si t'as pas quelque chose à cacher, dit-elle à Rosie.

Elle décida de *googler* le nom de William Morane. Elle en saurait davantage sur lui. Peut-être aurait-il une page sur LinkedIn et, qui sait, un compte Facebook ou Twitter? Auquel cas, sans doute pourrait-on y voir des traces de son obsession animalière en général, et dauphine en particulier.

À sa grande surprise, Geneviève tomba sur une multitude de liens vers Bob Morane, le héros de la série de romans du même nom, et de son fidèle compagnon, William – alias Bill – Ballantine.

— Bordel!

— Quoi encore? demanda Rosie.

— Attends...

Bob Morane... Geneviève fit un bond de trente-cinq ans en arrière et tomba dans l'univers du héros d'enfance de son frère Luc. Il avait lu, trois fois plutôt qu'une, tous les livres d'Henri Vernes. Elle-même avait bien essayé d'embarquer dans les aventures extrêmes de Bob, dont celles qui mettaient en scène le diabolique Ombre Jaune, et elle avait débuté quatre fois *Terreur à la Manicouagan*. Mais peine perdue, elle préférait Sylvie, l'hôtesse de l'air.

Hormis le personnage fictif, il n'y avait aucune trace d'un être humain s'appelant réellement William Morane, au Québec ou ailleurs dans la francophonie. Et encore moins un horticulteur.

— Rosie, je pense que mon client se cache ici sous un faux nom, ridicule de surcroît. Et qu'il est peut-être cet écoterroriste dont on nous parle dans ce courriel.

C'est Rosie qui avait eu l'idée de demander secours à Jacinthe Bisson. Si quelqu'un, dans cet hôtel, était capable de déchiffrer des intentions malveillantes, c'était bien cette synergologue aguerrie. Geneviève ne pouvait pas porter des accusations contre un client sans être absolument certaine de ce qu'elle avançait. C'était une question de survie comme employée de l'hôtel.

Elle se rendit donc à la salle des congrès et patienta jusqu'à la fin d'un atelier qui consistait à marcher en se déhanchant devant les autres synergologues, en serrant les lèvres et en regardant droit devant. Chaque participant recevait par la suite les commentaires de ses pairs et un système de pointage s'affichait sur l'écran géant.

Geneviève prit Jacinthe à part et lui confia ses doutes sur un de ses clients, et les menaces d'écoterrorisme qu'avait reçues le Manatì Park.

— Mais vous comprenez, je ne peux pas arriver comme ça, dans le bureau du directeur général, si je ne suis pas certaine de ce que j'avance.

Était-il possible, lui demanda-t-elle, d'observer quelques minutes son client? D'analyser sa gestuelle? De voir s'il cachait bel et bien quelque chose qui pouvait ressembler à la préparation d'un acte répréhensible?

— Il sera peut-être au buffet du restaurant ce midi. Je pourrais vous le montrer... Sinon, il y sera sans doute à l'heure du souper.

William Morane était arrivé au restaurant un peu après midi, vêtu d'un bermuda fleuri et d'un t-shirt gris, sans trace d'animaux ou de slogans. Après avoir fait le tour du buffet quatre fois plutôt qu'une et choisi une quantité invraisemblable de nourriture, il s'était assis un peu en retrait.

Jacinthe Bisson avait commencé son observation et prenait des notes sur une serviette de papier. Geneviève n'osait la déranger et mangeait discrètement son *wrap* au poulet cajun.

— Il s'est assis dos au mur, près d'une sortie d'urgence, commença la synergologue. Il a fait une reconnaissance visuelle des portes, des extincteurs et des toilettes. Il est à l'affût. Le fait qu'il surveille sans cesse son assiette, comme si on allait la lui voler, suggère qu'il a peut-être déjà fait de la prison.

— Oh! s'exclama Geneviève.

— Il a une gestuelle qui peut s'apparenter à celle d'un chef de gang. Par ailleurs, sa démarche, entre le buffet et sa table, était faussement nonchalante. Ton gars cache quelque chose, Geneviève.

— Je le savais!

— Cependant, je suis trop loin de lui pour savoir s'il a un *yang sanpaku* très prononcé...

— Un quoi?

— Un *yang sanpaku*. C'est un état de profonde agressivité ou de colère que l'on peut détecter chez les gens qui sont à la veille, par exemple, de commettre un acte de violence ou un attentat.

— On voit ça comment?

— Un renflement de la glabelle, entre les sourcils, est un indice. La paupière du bas qui est plus affaissée. La main tournée vers l'arrière... Plusieurs indices, mais là, je suis trop loin. Cela dit, ton gars semble observer les gens assis à la table là-bas, dans le coin gauche...

Une dizaine de ses clients et d'autres qu'elle ne connaissait pas y étaient attablés, en grande conversation. Elle reconnut le couple Dion-Simard et quelques-unes des «lionnes de Saint-Bruno». Tiens donc. William Morane se rinçait l'œil. Elle avait lu que la veille de commettre leurs attentats, en septembre 2001, les terroristes d'Al-Qaïda avaient loué les services de prostituées.

— Pour en savoir davantage, Geneviève, tu devras lui parler directement. Le confronter. Et observer comment il réagira.

Jacinthe Bisson lui expliqua ce qui pourrait être un signe de malaise ou de mensonges : la main gauche qui disparaît dans le dos, la bouche qui se ferme, l'œil droit qui s'avance, la tête qui penche vers la droite et, surtout, les fluctuations dans les clignements des paupières.

— C'est fondamental, Geneviève. La normale chez l'humain est de dix-neuf clignements des paupières à la minute. Lorsque quelqu'un ment, le nombre de clignements diminue, puis augmente exagérément lorsqu'il a terminé de débiter son mensonge.

Un cas célèbre chez les synergologues était celui de Dominique Strauss-Kahn. Devant la meute de journalistes, qui lui demandaient s'il avait eu ou non des relations sexuelles avec la femme de chambre du Sofitel, à New York, DSK était tombé à quatre clignements des yeux par minute. Puis, après ses déclarations, ça avait grimpé à quatre-vingts clignements minute !

— C'est fascinant, lui dit Geneviève.

En attendant d'échafauder un plan réaliste pour démasquer un client écoterroriste, Geneviève retourna à son studio pour s'y changer en vue de ses quelques heures bien méritées à la plage.

Elle était libre pour l'après-midi.

Elle fit son sac de plage, y mit *The Art of Sleeping Alone*, puis se ravisa. Son père devait l'accompagner à la crique. Elle ne voulait pas qu'il la voie lire cet ouvrage, sans trop comprendre pourquoi, au fait. Il croirait peut-être qu'elle n'était pas heureuse, ou en déficit émotif. Elle prit quelques magazines de décoration.

Toute cette histoire avec William Morane avait réussi momentanément à lui faire oublier que son fils se faisait passer pour un handicapé auprès d'une fondation charitable qatarie, dans le but de vendre ses toiles. Et qu'elle était devenue, aux yeux d'une princesse arabe, une toxicomane finie, veuve d'un sidéen trépassé.

Avant de quitter, elle lui envoya un courriel sibyllin : « Je dois te parler au plus vite, très cher fils. Essaie d'ouvrir Skype... avec tes pieds, bien sûr ! »

En se rendant vers la piscine pour y cueillir son père, Geneviève croisa Olessia, accompagnée une fois de plus de son client Seraphim Pavlov et des enfants de ce dernier. Il avait l'air contrarié.

En s'approchant d'eux pour les saluer, elle eut une idée. Tout sourire, elle extirpa son *iPhone* de son sac et demanda à sa collègue si le juge félin aurait la gentillesse de jeter un coup d'œil sur la photo de ses chats, Solange et Jean-Guy.

Elle avait toujours secrètement caressé le rêve de les faire concourir, considérant leur beauté « sidérante » comme elle le répétait souvent aux jumeaux.

— Pourquoi pas Geneviève ? Peut-être ça va lui changer les idées. Monsieur est furieux parce que l'installation de la corde dans sa salle de bain n'a pas tenu. On doit aller chercher le concierge.

Olessia se tourna vers Seraphim et lui expliqua en russe la demande de Geneviève. Celle-ci avait, entretemps, retrouvé quelques photos à lui montrer.

Le juge examina longuement les clichés de Solange et de Jean-Guy. Geneviève le vit faire une moue, accentuée par l'épaisseur spectaculaire de sa lèvre inférieure, et qu'elle interpréta comme un signe d'admiration. Même s'ils étaient un peu âgés, peut-être n'était-il pas trop tard pour les concours internationaux. Elle ne pourrait cependant pas s'y mettre sérieusement avant son retour à Montréal, dans plus d'un an.

Seraphim Pavlov se mit à parler longuement, et Olessia se contentait de hocher la tête, impassible. L'une des photos était analysée en détail, constatait Geneviève. Quand il eut fini, Olessia se racla la gorge.

— Eh bien! En gros, le juge Pavlov dit que tes chats ont l'air gentils.

— Quoi?

Olessia avait l'air mal à l'aise.

— Gentils, oui, c'est son expression. Aimables. De bons chats, quoi.

— C'est tout? répondit Geneviève.

Se faire dire que ses chats avaient l'air gentils était extrêmement humiliant.

— Olessia, quand on dit que quelqu'un a l'air gentil, c'est en général parce qu'il est moche et insignifiant. Ton juge a rien dit d'autre? Il a parlé pendant dix minutes...

— Bon, si tu veux tout savoir, il a analysé leur corps, ainsi que leur tête. Il... Il a parlé de légère difformité, d'asymétrie, de surpoids et de regards vides et creux. Leur fourrure est entretenue de manière anarchique, selon lui, et la couleur lui a rappelé un mauvais gribouillis fait par un enfant peu talentueux. Voilà ce qu'il a dit. Mais ils ont l'air de bons chats, cependant, c'est sa conclusion. Il suggère cependant un meilleur entretien.

Geneviève était atterrée. Elle allait d'humiliation en humiliation. Vivement la plage.

Elle avait dû aider son père à gravir les rochers visqueux qui donnaient accès à la merveilleuse crique où elle venait passer la plupart de ses journées de congé. La marche d'une dizaine de minutes depuis la plage principale avait quelque peu exténué Marcel. Il fallait parcourir un sentier, d'où l'on avait presque toujours vue sur la mer, ce qui était magnifique. Mais la chaleur de cet après-midi de mars était accablante.

Comme d'habitude, l'endroit était presque désert. Geneviève et Marcel s'installèrent à l'ombre d'un cocotier. Habituellement, elle était accompagnée de Sylvia, qui avait congé la même journée qu'elle. Mais voilà, elle était partie sur les traces de Gonzo Resurrección.

Geneviève avait d'ailleurs été surprise de voir, un peu plus tôt, sur son compte Facebook, une photo envoyée par Desneiges. Elle avait été rapide, la belle-mère! Le cliché montrait les quatre voyageuses en train de boire une bière et de manger ce qui semblait être des *empenadas*, dans un boui-boui. Elle souhaitait simplement que l'endroit soit salubre, car consommer une nourriture douteuse dans ce pays pouvait ruiner un voyage. Le fait que Kioko soit présente l'avait néanmoins rassurée. Elle avait une hygiène de vie très stricte.

«Sur le chemin de l'aventure, détails à suivre», écrivait Desneiges.

Geneviève traîna son père dans les eaux turquoise transparentes de la mer des Caraïbes. Un pur bonheur dont elle ne se lassait pas. Marcel apprécia la chaleur de l'eau, sa limpidité, qui lui permettait, dit-il, de voir les poissons. Pas comme dans le Maine, ni comme dans les lacs où il allait pêcher au printemps.

— Je vais au réservoir Kiamika, dans les Hautes-Laurentides, en mai, c'est tout nouveau. Avec ton frère.

Ça fait longtemps qu'on n'a pas pêché ensemble. À tout événement, il veut se recycler.

— Ah bon?

Ils s'étaient allongés sur leur serviette respective, à l'ombre du cocotier.

— Son entreprise, «Au doux foyer», est à vendre. Il pourra pas avoir grand-chose pour, avec l'interdiction des foyers au bois à Montréal.

Son frère Luc était ramoneur. Il avait été anéanti par la décision de la Ville d'interdire les foyers au bois. Il ramonait des cheminées depuis plus de vingt-cinq ans. Un coup dur.

— Il va prendre des cours d'émondage d'arbres. Il a déjà enregistré sa nouvelle entreprise. «Au bel arbre», ça va s'appeler.

— C'est une excellente idée. Il a certainement plus d'avenir là-dedans que dans les foyers.

— Et puis c'est bien plus propre, renchérit Marcel.

— Plus écolo, aussi.

— Sur ce, ma fille, je vais faire une sieste bien méritée.

Geneviève se dit c'était une excellente idée.

Alors qu'ils arrivaient à la plage principale, en fin d'après-midi, Geneviève remarqua un petit attroupement. En s'approchant, elle vit un homme étendu sur le sable. Un sauveteur semblait lui prodiguer les premiers soins. Soudain, elle eut un pincement au cœur: elle reconnaissait le maillot de bain du vacancier. Elle l'avait acheté la veille, au Palma Real Shopping Village. Un modèle extrêmement coloré, mais c'est celui qui avait plu à France Tremblay.

Bordel, qu'est-ce qui lui était encore arrivé?

Il hoquetait, tremblant, la bave au menton et la morve au nez, couvert de sable. Geneviève demanda au sauveteur ce qui s'était passé.

— C'est un non-nageur canadien, lui répondit-il. On l'a ramassé alors qu'il était en train de couler. C'est Ernesto, du cours de plongeon en apnée, qui l'a vu en premier. Heureusement qu'il avait ce maillot aux couleurs débiles, sinon ça aurait pu prendre plus de temps avant de l'apercevoir.

— C'est mon client, est-ce qu'il va aller?

— Oui, rien de grave. Mais il n'aurait jamais dû s'aventurer si loin. Il m'a dit qu'il ne savait pas nager.

France Tremblay fut redressé sur ses jambes, à l'aide de quatre vacanciers. Il semblait misérable. À la vue de Geneviève, ses yeux s'éclairèrent.

— Content de vous voir, Geneviève, réussit-il à dire entre deux raclements de gorge.

— Nous allons vous raccompagner à votre chambre.

Elle lui présenta son père. Celui-ci ne comprit évidemment pas son prénom et regardait Geneviève avec un regard interrogatif.

— Qu'est-ce qui est arrivé, France? demanda Geneviève.

— Je... J'ai nagé un peu trop loin. La mer était si claire, je voyais le fond, alors je croyais que je touchais encore. Et j'ai paniqué quand j'ai réalisé que je ne touchais plus... J'ai calé, et un type est venu me ramasser. J'ai eu de la chance... Une fois de plus.

C'était la deuxième quasi-noyade de France Tremblay. La première, raconta-t-il, remontait à sa petite enfance. Il devait avoir quatre ans, et circulait en tricycle sur le terrain en pente du chalet de sa tante Janine, au Lac-Saint-Jean. À un moment, France avait perdu le contrôle de son tricycle, qui avait dévalé à vive allure la pente, avant de s'engouffrer dans le lac. Il se souvenait avoir été extirpé par les pieds, par un voisin, qui avait assisté à toute la scène au moment où il tondait sa vaste pelouse.

— Je dois ma vie à un gars qui tondait son gazon! Alors quand j'entends des gens critiquer les tondeuses, surtout le dimanche matin, je leur dis: holà! C'est une tondeuse, un dimanche matin, qui m'a sauvé la vie. Tout le reste de ma famille dormait encore quand c'est arrivé.

On n'avait jamais retrouvé le tricycle. Enfoui à jamais au fond du lac Saint-Jean.

— Je le revois parfois dans mes rêves. Il n'a pas rouillé et il flotte dans l'eau, en état d'apesanteur… C'est si beau, dit le professeur, les yeux légèrement embués.

Cette expérience traumatisante avait découragé France de la baignade sous toutes ses formes: piscine, mer, lac, rivière, ce qui avait compliqué sa vie au Saguenay. Il avait refusé de suivre des cours de natation, contrairement au reste de sa fratrie.

— Mes sœurs, Gilles et Stéphane, sont même devenues sauveteuses dans des piscines de Chicoutimi. Mais avant de venir ici et de voir cette mer si claire, si belle, je n'ai jamais eu envie de retourner dans l'eau. Ici, tout a changé…

France eut à nouveau un fort moment d'émotion. Il tremblait encore lorsque Geneviève et son père le laissèrent au pied des escaliers qui menaient à sa nouvelle chambre.

Geneviève se faisait la réflexion que le professeur avait un séjour somme toute mouvementé, lorsqu'ils croisèrent deux des triplettes de Blainville.

Elles les saluèrent et confirmèrent la présence de Marcel à la partie de bridge, qui aurait lieu en soirée.

— Ça va? demanda Geneviève, sur un ton qui sous-entendait: «vous êtes-vous remises de la disparition de l'urne Mickey Mouse contenant les cendres de votre mère?»

— Ça va mieux, répondit Arlette. Quoique notre Cécile le prend toujours aussi mal. Avez-vous des nouvelles?

Geneviève leur avoua qu'elle n'en avait aucune. Elle était allée voir la sécurité de l'hôtel pour leur signaler la disparition de l'objet. Mais le fait que Cécile ait laissé la porte de la chambre ouverte, alors qu'elle s'était enfermée dans la salle de bain pendant un nombre inconnu de minutes, avait fait hocher la tête au gardien de sécurité Jose Jesus Escobar.

— Rhénébièbé, je ne peux pas faire grand-chose. Ça a bien plus de chance d'être un client qui passait par là que la femme de chambre. Et tu sais bien que je ne peux pas fouiller nos clients. Elles tiennent tant à cet objet? demanda-t-il en regardant d'un air étonné la photo de l'urne.

— Il y avait les cendres de leur mère dedans, répliqua-t-elle.

Jose Jesus Escobar hocha la tête.

— C'est pour ça qu'il ne faut jamais incinérer les morts. Il y a des cimetières pour les enterrer. C'est quoi l'idée? On peut même pas fleurir leur tombe.

Geneviève assura les triplettes qu'elle les tiendrait au courant. Elles s'éloignèrent tête basse. Marcel était curieux de savoir ce qui chagrinait les «dames Parenteau». Il avait bien vu que leur humeur avait changé depuis la veille. Geneviève resta vague, disant simplement qu'elles avaient perdu un bien qui leur était cher.

Balthazar avait rapidement répondu à sa mère, lui disant qu'il ne pourrait la *skyper* avant samedi matin, «en raison d'un débordement de travail». «Bien sûr, se dit Geneviève, tu dois plutôt être en train de fabriquer une explication acceptable à ton comportement.»

Anne avait publié une photo d'elle avec un magnifique jeune homme brun aux yeux de biche. «Au resto India Beau Village, rue Jarry, avec Ambar Shah».

Tiens donc. Elle hébergeait toujours le garçon de Bombay.

Elle cliqua sur le nom du jeune homme et vit apparaître sa page. Malheureusement, toutes ses infos et photos n'étaient visibles que par ses six cent quatre-vingt-deux amis. Elle n'osa lui faire une demande d'amitié.

Desneiges avait envoyé une nouvelle photo, qui semblait prise dans un autre boui-boui. La table était couverte de bières locales, la Presidente, ainsi que d'assiettes remplies de poulet frit et de *tostones*, des bananes plantains frites, un combo que Geneviève prenait régulièrement lorsqu'elle s'aventurait hors du Princess Azul.

Les quatre femmes semblaient d'excellente humeur. Étaient-elles sur le chemin du retour? se demanda Geneviève, en regardant l'heure. La nuit tombait autour de dix-neuf heures à ce temps-ci de l'année. Et conduire de nuit, en République dominicaine, était suicidaire. Au volant, les Dominicains, un peuple pourtant patient et aimable, se transformaient en fous dangereux. Sylvia était bien au courant qu'il fallait éviter de conduire après le coucher du soleil.

Desneiges ne devrait pas tarder à rentrer.

Après avoir pris un repas rapide au buffet et laissé son père avec les triplettes et quelques autres vieux, dont César le Français, Geneviève se dirigea vers le centre des conférences pour son atelier hebdomadaire consacré aux cépages espagnols et aux différentes régions vinicoles de la péninsule ibérique.

L'atelier était diffusé simultanément, depuis le siège social, à Madrid, dans tous les Princess Azul et Queen Azul des zones américaines et asiatiques. Une période de questions était allouée à la fin de la présentation, les employés n'avaient qu'à envoyer la leur via la messagerie interne. Le formateur répondait en direct à quelques-unes d'entre elles, et Geneviève avait eu la chance de voir sa question choisie parmi la centaine acheminée, deux semaines auparavant lors de l'atelier sur les vins du Ribera del Duero. Elle se demandait pourquoi tous les vins rouges de l'appellation d'origine Bierzo devaient contenir au moins soixante-quinze pour cent de ce raisin, tandis que le Rueda simple ne devait être composé que de cinquante pour cent de verdejo. Elle s'était trouvée extrêmement brillante et, surtout, très à son affaire.

Le formateur se présenta comme Javier Torres et, il avait du charme à revendre.

— Il aurait plu à Sylvia, celui-là, glissa Geneviève à l'oreille de sa collègue Michèle. Dommage qu'elle ne soit pas là.

Elle calcula qu'il était environ une heure du matin, à Madrid, et qu'il devait se trouver bien seul dans les bureaux de la chaîne hôtelière CostaStellar. Ça devait être plus évident pour les formateurs lorsqu'ils donnaient les ateliers aux employés d'Europe, du Moyen-Orient et d'Afrique.

Il y avait une bonne douzaine de membres du personnel de Punta Cana qui suivaient religieusement les ateliers depuis leur début, un mois auparavant. La formation était gracieusement offerte à ceux qui le voulaient bien, afin que le plus d'employés apprennent à connaître et comprendre les vins offerts à leurs clients. Geneviève y avait découvert une nouvelle passion et avait l'impression de déguster le vin de manière beaucoup plus pertinente. Elle se promettait de visiter toutes ces régions une fois son contrat de deux ans avec le Princess Azul terminé.

L'atelier portait cette semaine sur les cépages de la Galice, une région verdoyante et sauvage à l'extrême nord-ouest du pays. Il avait commencé dans la confusion, la salle des conférences étant encore remplie de synergologues en pleine session plénière, malgré l'heure tardive. Il fallut un certain temps – et l'apparition de Javier Torres sur l'écran géant – pour que les congressistes comprennent qu'ils devaient quitter. Et cela ne se fit pas sans heurt.

— Vous avez l'air contrarié, dit une femme à Michèle, qui lui signifiait de se taire, car leur formateur avait commencé son atelier. Ça se voit dans votre expression faciale.

— Je n'ai pas l'air contrariée, je SUIS contrariée, répondit Michèle.

La région de la Galice était fascinante. Selon Javier Torres, on y produisait à la fois les vins les plus médiocres d'Espagne, ainsi que certains des meilleurs. Et ce qui était encore plus fascinant, c'était que les vins dont il parlait apparaissaient comme par magie sur les tables des participants, qui pouvaient les déguster à leur rythme.

— Imaginez que tous les hôtels Princess et Queen Azul du monde entier reçoivent les mêmes bouteilles, la même semaine, pour l'atelier de dégustation, leur avait dit la semaine précédente Sylvia. Ils sont quand même efficaces, ces Espagnols. C'est étonnant que leur économie marche si mal.

L'atelier prit fin au bout de quatre-vingt-dix minutes exactement, après une trentaine de minutes de questions des participants. Geneviève fut étonnée qu'une question aussi bête que celle d'une employée d'un Queen Azul de Pondichéry, en Inde, ait été retenue : pourquoi appelle-t-on le vin blanc ainsi alors que sa couleur est, dans les faits, transparente, alors que le rouge, lui, est bel et bien rouge ? Le charmant Javier Torres fut lui-même surpris et s'en sauva en répondant qu'il s'agissait d'un mystère qu'il lui faudrait résoudre.

— J'imagine qu'ils ont des quotas de questions à respecter en provenance de l'Inde, et que y'avait que cette question-là cette semaine, lui glissa Michèle.

Après le cours, Geneviève se rendit à la terrasse extérieure du buffet, où son père s'était installé avec ses nouveaux amis pour sa partie de cartes. C'était une magnifique soirée au ciel étoilé, sans un nuage, sans une once de vent. La température parfaite, quoi.

— Desneiges est-elle passée te saluer ? demanda Geneviève à son père, mais celui-ci lui répondit par la négative.

— Je suis passé à sa chambre, il y a une trentaine de minutes, pour lui dire qu'on était ici à jouer aux cartes et elle n'a pas répondu, dit César, avec son accent chantant.

— Bon, il est passé vingt et une heures, j'imagine qu'elles ne vont pas tarder.

Elle s'assit à côté de son père. Il avait l'air détendu. Ce petit séjour dans le Sud, près de sa fille, lui faisait visiblement du bien. Il avait même pris un léger hâle, ce qui lui allait bien. Tous les jours, il rapportait les dernières nouvelles climatiques en provenance du Québec. Les vacanciers se pâmaient de leur chance d'être au Princess Azul durant cette semaine de froid et de lendemain de tempête.

Gonzalo Resurrección passa à ce moment-là près d'eux, accompagné d'une blonde à l'allure fragile. Geneviève en profita pour aller lui demander s'il avait eu des nouvelles du périple des quatre femmes chez lui.

— Eh bien! j'ai parlé à papa il y a même pas une heure et il m'a dit qu'il ne les avait jamais vu arriver. Il a pensé qu'elles avaient remis leur visite. C'est dommage, maman leur avait préparé du *sancocho*.

Ce ragoût, composé de sept viandes différentes et de toutes sortes de légumes, était un plat de fête, en République dominicaine. Geneviève se sentait vaguement inquiète. Si elles n'étaient pas arrivées au barrio Guachupita, alors où étaient-elles donc passées, à cette heure? Qu'avaient-elles fait de leur journée?

Elle téléphona sur le cellulaire de sa belle-mère, mais c'est la boîte vocale qui embarqua. Idem pour celui de Sylvia. Elle laissa des messages demandant qu'on la rappelle.

À vingt-trois heures, elle alla reconduire son père à sa chambre. En passant près de la piscine, elle aperçut Federico del Prado en train d'y faire ses longueurs, seul. Il n'y avait plus d'éclairage dans l'eau et on le voyait à peine. Mais on entendait bien le clapotis de l'eau.

Elle en profita pour frapper à la porte de Desneiges, juste en face. Pas de réponse.

— Eh bien! Elle veille tard, notre Desneiges, ce soir! dit-elle à son père, du ton le plus neutre possible. Elle ne voulait pas l'inquiéter outre mesure.

— Probablement qu'elles sont encore chez les Conceptionne, répondit Marcel.

— Les Resurrección... Oui, ça doit être ça.

De retour dans sa chambre, Geneviève alla voir sur Facebook si Desneiges avait envoyé un nouveau statut, mais il n'y avait rien. Dans son blogue, labonnebouffe. com, la dernière entrée remontait à la veille. Elle critiquait assez durement la nourriture du Brrr! la qualifiant « d'erreur gastronomique, servie dans un décor d'usine à poulet africaine ». Elle mettait le lien que lui avait envoyé son jeune internaute quelques semaines auparavant. Geneviève trouvait qu'elle exagérait, à tout le moins sur le décor.

Elle tenta à nouveau de téléphoner à Desneiges et à Sylvia, sans succès. « L'abonné que vous tentez de joindre n'est pas disponible », entendit-elle.

Bon, elles avaient dû se prendre les pieds dans un boui-boui où il n'y avait pas de réseau, et devaient revenir tranquillement vers le Princess Azul. Geneviève souhaitait surtout que Sylvia soit assez sobre pour conduire correctement.

Sinon, elle avait reçu un courriel de Pierre Sansregret intitulé « Ritalin ? ». Il lui demandait si elle avait déjà essayé ce qu'il lui avait envoyé et, si oui, y avait-il des résultats ? Il joignait quelques liens tirés de ses revues médicales sur les effets secondaires du médicament.

« Si ça te dérange pas, mon beau Pierre, je vais regarder ça demain », se dit-elle. Elle ne lui répondit pas immédiatement. D'abord parce qu'elle n'allait prendre sa première dose que le lendemain. Et puis parce qu'elle était encore troublée par les révélations de son père sur l'éventuel retour du gastroentérologue et, surtout, ses sentiments amoureux. Leur rencontre remontait à cinq mois. Depuis, dans leur correspondance, il n'y avait aucune ambiguïté. Souffrait-il d'une dépendance affective ? Était-ce une conséquence de sa petite enfance perturbée par ses changements de famille ?

«Au secours!» se dit-elle en se mettant au lit. Il fallait qu'elle ait une bonne nuit de sommeil. Le lendemain allait être une journée chargée. Il lui faudrait sans doute aller au bureau du directeur général pour lui parler du cas inquiétant de son client, William Morane.

Jeudi

La sonnerie du téléphone extirpa brutalement Geneviève de son sommeil. Elle eut le temps de voir qu'il était cinq heures du matin lorsqu'elle décrocha. C'était Pedro, à la réception.

— Nous avons une vieille dame, ici, qui dit qu'elle est une de tes clientes, Rhénébièbé. Mais elle n'a plus de bracelet, ni aucune carte d'identité, alors on doit avoir ta confirmation. Je ne la laisse pas entrer dans l'hôtel, sinon. Elle est dans un état, je te dis pas... On dirait qu'elle a passé dans un tordeur.

— J'arrive.

Geneviève s'habilla à la hâte et descendit vers la réception. Elle avait l'esprit encore embrouillé, mais pas assez pour ne pas avoir immédiatement identifié la «vieille dame» à la réception.

— Desneiges, bordel! Qu'est-ce qui t'est arrivé? Et où sont les autres?

Sa belle-mère était debout à la réception, comme pétrifiée. Sa toque était défaite et ses cheveux gris tombaient anarchiquement sur ses épaules. Quelques mèches ressortaient du lot, comme électrifiées. Son bermuda au motif léopard était déchiré par endroits. Des taches de boue se fondaient dans ce décor de savane, mais on les percevait néanmoins, puisqu'elles juraient avec l'harmonie du pelage félin. Le chemisier fleuri était sale, quoiqu'intact. Du moins au premier coup d'œil. Car lorsque Desneiges se tourna pour prendre un sac de plastique qui semblait contenir quelques biens, Geneviève vit qu'une profonde déchirure le traversait du haut jusqu'en bas, laissant le dos complètement nu.

Mais c'était ses jambes qui étaient les plus spectaculaires. Elles étaient maculées de boue, couvertes de piqûres et d'égratignures. Il ne restait rien du pédicure royal de la veille.

Pour couronner le tout, Desneiges empestait. Un mélange de fond de tonneau, de moisissures et de crottin.

— Desneiges, est-ce que ça va ? demanda Geneviève, bouleversée, tout en certifiant son identité auprès de Pedro, qui s'affairait à lui trouver un nouveau bracelet.

Cette semaine, il était jaune.

— J'ai perdu mon bracelet d'hôtel, Geneviève.

Celle-ci la regarda, effarée. C'était bien la chose la moins dramatique du lot.

— C'est pas grave, on va t'en faire un autre. Mais qu'est-ce qui… Où sont les autres ?

— À l'hôpital… Sylvia doit se faire plâtrer un bras et Kioko doit subir un scan à la tête, mais ça devrait aller. Romualda les accompagne. Elle m'a mise dans un taxi.

— Mais qu'est-ce qui vous est arrivé ? Vous étiez où ?

Desneiges soupira. Elle semblait tout à coup avoir cent ans.

— Si ça te dérange, ma belle fille, je vais aller me nettoyer. Pis je te raconterai tout ça après.

Geneviève prit le bras de sa belle-mère et l'accompagna vers sa chambre. Desneiges était un peu chancelante et marchait lentement. En traversant l'Allée des palmiers royaux, les deux femmes croisèrent un fringant quadragénaire, vêtu d'un survêtement de jogging, au pas de course. Federico del Prado Mayor leur fit un petit signe de la tête, l'air interdit. Desneiges lui rendit son salut, tout en émettant un rot tonitruant.

Une fois dans la chambre de Desneiges, Geneviève s'assura à nouveau qu'elle allait bien, fit couler l'eau de sa douche, et lui conseilla de dormir quelques heures.

—Y'a pas d'urgence, tu passeras à mon bureau plus tard me raconter tout ça. Ou bien, on se verra au restaurant ce midi. L'important, c'est que tu sembles correcte.

Elle se dit qu'elle irait interroger ses collègues, dès l'ouverture de leur bureau respectif.

Puis, elle eut un doute.

—Vous n'avez pas enfreint de lois, toujours?

Desneiges la regarda l'air un peu penaude, puis hocha la tête.

—Je ne crois pas... Enfin, me semble que non.

Geneviève la regardait d'un air interrogateur.

—À moins que... Est-ce que c'est illégal de perdre une voiture louée? Un jeep par exemple?

—Vous avez perdu votre voiture? demanda Geneviève, interloquée.

—Perdue... non, on sait où elle l'est. Enfin à peu près. Mais on n'a pas pu la ramener ici, à Punta Cana...

—Et pourquoi?

—Bien... Elle a coulé au fond d'une rivière.

—Quoi?

— Je vais te raconter ça plus tard, ma belle enfant. Là, je vais me laver et dormir un peu.

Geneviève n'insista pas. Elle saurait bien assez vite ce qui s'était réellement passé sur le chemin du barrio Guachupita.

Avec le soleil qui se pointait, il était trop tard pour se recoucher. Geneviève se réjouit du fait que c'était justement la journée qu'elle avait choisie pour essayer sa première dose de Ritalin. Elle comblerait son déficit de sommeil avec cette petite pilule magique, elle n'en doutait pas.

Le docteur Jean Turcot prescrivait à l'endroit de Pierre Sansregret un comprimé tous les matins. Geneviève décida d'en prendre deux la première journée, histoire de maximiser l'effet.

Les pilules étaient énormes. Des monstres. Comment des enfants pouvaient-ils avaler ça? «Mais à la guerre comme à la guerre», se dit Geneviève, en les engouffrant une après l'autre.

Elle avait des heures devant elle avant le début officiel de sa journée de travail, ce qui était un luxe. Elle décida d'aller d'abord prendre un bon déjeuner. Le buffet serait sans doute désert à cette heure. Puis, pourquoi pas une petite baignade? Ou le cours de Pilates de huit heures, qu'elle manquait toujours malgré ses bonnes résolutions à chaque début de semaine, lorsqu'elle planifiait ses activités à venir? Le Princess Azul offrait une panoplie de cours, pourquoi ne pas en profiter? Mais force était de constater qu'hormis l'atelier de vins du terroir espagnol, elle abandonnait les autres bien facilement.

En passant devant l'atelier de poterie Taïno, elle vit Alberto qui installait son stand de gréviste de la faim. Il camoufla sa bouchée de beignets lorsqu'il vit Geneviève et la salua timidement.

Le buffet était quasi désert à cette heure. Geneviève prit des fruits en quantité, du yogourt bulgare, et une omelette baveuse que lui prépara Mercedes, qui venait tout juste d'arriver à son poste.

La vie était belle! Elle n'avait même pas pris la peine d'apporter son immense chapeau de camouflage.

Elle avait cependant pris un livre, autre luxe suprême, et commença à lire *The Art of Sleeping Alone*. Pourquoi sa copine lui avait-elle apporté la version anglaise d'un livre écrit par une journaliste française? Mystère. Toujours est-il qu'elle ne put y plonger bien longtemps.

— Est-ce que c'est un art ou une damnation?

En levant la tête, Geneviève aperçut David Simard, le nouveau marié. Il était impeccablement vêtu, et souriait de toutes ses dents. Leur blancheur contrastait avec son teint basané.

— J'imagine pourtant que c'est le genre d'endroit où les occasions sont nombreuses, poursuivit-il.

— Euh... oui et non. On est ici d'abord pour travailler, répondit Geneviève, un peu mal à l'aise.

— En tout cas, y'en a qui en profitent! Vous irez voir le site du *Journal de Montréal* ce matin! Salutations, madame, et bonne journée! dit-il en poursuivant son chemin.

Le Journal de Montréal? Quel rapport avec le livre *The Art of Sleeping Alone*?

Elle se leva pour aller reprendre du café. En revenant à sa table, elle eut la surprise d'y voir William Morane, debout, en train vraisemblablement de regarder la couverture de son essai français-en-anglais. Lorsque son client releva la tête et l'aperçut, il fronça les sourcils, détourna les yeux et poursuivit son chemin en direction de l'Allée des palmiers royaux.

«Ce type est incapable de simplement saluer, dire bonjour, sourire, je ne sais pas, moi, ce que font des gens normaux en vacances», se dit Geneviève, tout de même contrariée qu'il ait vu le genre d'essai qui l'intéressait ces temps-ci. C'était sa vie privée, après tout. Et l'autre client aussi! Cet ouvrage resterait dans sa chambre à l'avenir.

Et elle était plus que jamais décidée. Elle confronterait William Morane dans la journée et observerait ses réactions, les clignements des yeux en particulier. S'il cachait vraiment quelque chose, elle le saurait.

Était-ce l'effet du Ritalin, déjà? Toujours est-il que Geneviève se sentait pleine d'énergie et décida de rentrer plus tôt à son bureau afin de faire un grand ménage de ses dossiers. Elle vida quatre tiroirs sur son bureau et se mit à trier, classer et, surtout, jeter. Elle jeta beaucoup. À tel point qu'elle dut aller chercher un bac géant dans la conciergerie, qu'elle remplit presqu'à ras bord. On accumule beaucoup trop dans la vie, se dit-elle. Lorsqu'elle reviendrait à Montréal, elle se promettait de faire un grand ménage dans son appartement. Il y avait beaucoup trop d'objets, de bibelots, de cadres. Elle visait un décor zen, épuré, voire ascétique, du type qu'elle voyait dans ces magazines de décoration qui traînaient à la réception et dans les cafés du Princess Azul, devenus sa lecture favorite depuis son arrivée à l'hôtel.

Après avoir mis au recyclage d'innombrables dossiers, elle avait l'impression d'y voir plus clair. Elle regarda l'heure. Elle avait le temps de faire ses comptes, qu'elle avait négligés ces derniers temps.

Geneviève décida de régler non pas un, ni deux, mais trois mois de comptes à l'avance, quitte à gruger sérieusement sa marge de crédit. Pourquoi pas? Elle serait libérée pour les prochains mois.

Au moment où sa collègue Rosie entra au bureau, à neuf heures, elle en était à la composition de son quinzième haïku. Elle n'avait jamais senti une telle fébrilité, une telle verve créatrice. Elle ressentait le besoin de traduire «l'évanescence des choses», comme lui avait si bien dit son amie Isabelle, en parlant de la puissance des petits vers japonais.

Il y en avait un qui lui plaisait particulièrement, et elle voulut le lire à Rosie. Mais celle-ci était surtout impressionnée par ce qu'elle voyait : un bac de recyclage rempli de papiers de toutes sortes.

— Mais qu'est-ce que tu fais ?

— J'ai fait un ménage monstre des classeurs. Ça fait un bien fou. Tu devrais en faire autant.

— Tu sais que selon la règle de Tour Exotica, on ne peut jeter aucun dossier avant qu'il date d'au moins un an ? C'est pour ça qu'on a autant de classeurs...

Rosie semblait découragée.

— Ah bon ? J'ignorais ça, répondit Geneviève. Merde, il va falloir que je les reclasse, je les ai jetés pêle-mêle... Mais c'est pas grave, n'est-ce pas ? Bon, dis-moi ce que tu penses de ce haïku.

Elle lui lut le petit poème d'une voix haut perchée.

Petit papier,

morte télé,

je vais manger du foie, l'été

Lorsque Geneviève releva la tête, elle vit une Rosie plutôt ahurie et, surtout, Sabrina Peres, la responsable des médias, qui venait d'arriver, visiblement agitée.

— Rhénébièbé, nous avons une crise médiatique !

Geneviève la regarda, l'air surpris.

— Tu sais l'émission de télé qui est venue ici... La télé-réalité. Ils ont diffusé un épisode hier chez vous, et j'ai reçu ce matin des dizaines et des dizaines de demandes d'interviews pour Gonzo. En fait, j'imagine que c'est lui. Tout le monde parle d'un Gonzo Revolución, mais j'imagine que c'est de Gonzalo Resurrección qu'il s'agit? Mais qu'est-ce qu'il a fait? Tu dois m'aider, Rhénébièbé... Et quoi, il y a quelqu'un qui change d'hôtel ici? ajouta Sabrina en jetant un coup d'œil à l'immense bac de recyclage.

Geneviève la suivit immédiatement dans son bureau, au deuxième étage. Les demandes venaient effectivement d'à peu près tous les médias québécois. Même *Le Devoir* avait téléphoné au Princess Azul pour en savoir davantage sur «le phénomène socio-culturel du *playboy* du Sud et son impact dans la psyché féminine occidentale».

— Je vais d'abord te montrer l'émission qui a été diffusée hier soir, Rhénébièbé, et tu vas me traduire ce qui se dit là. Je n'en ai qu'un rapport très bref de notre agence d'alertes médias à Madrid.

Sabrina diffusa l'enregistrement du mercredi soir d'*Une chance pour l'amour* sur son ordinateur. On y voyait d'abord le couple Chrystal-Lyne–Kevyn arrivé au Princess Azul, amoureux. Puis, les différentes activités, et l'éloignement manifeste de la jeune fille envers son compagnon, impuissant désormais à l'impressionner. À l'éloignement suivit carrément l'agacement, lors de la sortie d'équitation extrême dans un refuge national. Lorsque le cheval de Kevyn le renversa tête première dans un marais peu ragoûtant, la belle brune leva les yeux au ciel, l'air excédé. Puis, la caméra filmait le souper, en solitaire, du pauvre Kevyn, et la sortie de l'hôtel, en «catimini», de Chrystal-Lyne, en compagnie d'un blond frisé au corps d'adonis qu'on entendait répéter *mi amor, mi amor, eres guapa* au moins deux cents fois.

Enfin, le retour de Chrystal-Lyne, et sa course effrénée, pieds nus, dans le Princess Azul, hurlant : «Je l'aime! Je l'aime!»

De retour dans l'hacienda mexicaine, entourée des autres participantes (il en restait quatre dans l'aventure), la jeune fille racontait son coup de foudre pour un certain Gonzo Revolución, «un h... de pétard, intelligent, culturé, fort et rassurant»...

— Il veut venir au Canada, faire sa médecine, répétait Chrystal-Lyne aux filles, qui piaffaient de joie, surexcitées, sans doute parce que leur plus sérieuse concurrente venait de se faire publiquement hara-kiri.

— On va se marier... Gonzo veut deux ou trois enfants, on les élèvera dans les deux langues. J'aimerais bien aussi qu'ils apprennent le chinois, c'est la langue de l'avenir, Gonzo est d'accord...

— Et Kevyn? demanda une des filles, qui s'appelait Mégane.

— Pfff.... Quand tu rencontres un gars comme Gonzo, tous les autres te paraissent fades, sans intérêt...

L'émission se poursuivait par la suite dans la maison des gars, où un Kevyn furieux et humilié obtenait de ses compagnons la promesse de faire exclure Chrystal-Lyne de la maison des filles lors du vote du lendemain.

— Elle croit que Gonzalo Resurrección veut faire médecine et l'épouser? Mais elle est tombée sur la tête, cette petite! s'exclama Sabrina Peres, lorsque Geneviève lui eut traduit la scène. Mais qu'est-ce qu'il leur fait à toutes, c'est pas possible? Encore la semaine dernière, Kioko a dû gérer une menace d'immolation par le feu de l'une de ses clientes. Elle venait d'apprendre que Gonzo ne la suivrait pas au Japon pour rencontrer ses parents et demander sa main.

— C'est un mystère, en effet, Sabrina. Mais on joue ça comment avec les médias, c'est toi l'experte.

— Je serais tentée de jouer ça *low profile*, et de dire non à toutes les demandes d'entrevues. Il s'agit de la vie personnelle de l'un de nos employés. Le Princess Azul décline toute responsabilité là-dedans.

— Il n'a pas choisi de séduire la bonne fille, disons, s'il voulait que ça reste sous le radar… Chrystal-Lyne était la favorite pour remporter la mise.

Sabrina parut encore plus déconcertée lorsqu'elle apprit que la jeune Chrystal-Lyne, en reniant Kevyn, faisait ainsi une croix sur un vaste manoir en banlieue et une voiture Toyota Camry de l'année.

En passant par la réception pour rejoindre son bureau, Geneviève vit trois femmes s'extirper péniblement d'un taxi. Elle reconnut aisément ses collègues Sylvia, Kioko et Romualda. Elles portaient des lunettes noires, ce qui n'arrivait pas à camoufler leur état, aussi lamentable que celui de Desneiges, quelques heures plus tôt. Sylvia portait une écharpe autour d'un bras et claudiquait légèrement.

— Mon Dieu! Mais qu'est-ce qui s'est passé? demanda Geneviève en s'approchant d'elles.

— Rien… rien de grave, on te racontera plus tard, répondit Sylvia, d'une voix qui semblait venir d'outre-tombe. Je dois aller avertir Shannon que je vais rentrer un peu plus tard au bureau aujourd'hui… ou même que je ne rentrerai pas du tout, dit-elle, en se penchant dans un eucalyptus en fleurs pour régurgiter bruyamment.

Geneviève était dégoûtée, de même que les quelques vacanciers qui se trouvaient dans le hall de l'hôtel.

— Tu as besoin d'aide pour te rendre à ta chambre ?

— Non, ça va aller maintenant... Ta belle-mère va bien, n'est-ce pas ? On l'a mise dans un taxi cette nuit.

— Oui, je sais, je suis venue l'accueillir à la réception.

— Elle a fait preuve d'un très grand courage, dit Romualda, sans préciser dans quelles circonstances elle l'avait démontré.

Soudain, Geneviève aperçut, un peu en retrait, comme s'il voulait surtout ne pas se faire repérer, William Morane. Il avait la tête baissée et faisait semblant de lire une brochure touristique. Puis, le portier vint l'avertir que son taxi était arrivé.

Il s'y engouffra rapidement, sans lever la tête.

«Tiens donc, se dit Geneviève, sans doute a-t-il encore quelque rendez-vous mystérieux à Bavaro.» Je vais devoir enquêter sérieusement sur son cas aujourd'hui si je veux prévenir une attaque.

Et quoi de mieux pour débuter cette investigation que d'aller faire un tour à sa chambre ? Il était parti pour au moins une heure, se dit-elle, voire deux. C'était la durée moyenne d'un séjour hors hôtel à Punta Cana. Le temps d'aller constater de visu que c'était beaucoup mieux dans l'enceinte rassurante du luxuriant complexe.

Marcel l'attendait dans son bureau. C'était la première fois qu'il y venait et il s'étonna de la présence de l'immense bac de recyclage.

— Je suis dans le ménage ce matin, papa, dit Geneviève en l'enlaçant exagérément.

Le Ritalin la rendait plus intense, et sans doute plus authentique dans ses sentiments, aussi, se dit-elle. La nouvelle Geneviève serait une femme moins retenue, moins allergique aux effusions sentimentales.

—À tout événement, Desneiges n'est pas descendue déjeuner ce matin, dit Marcel lorsque sa fille le libéra de son étreinte.

—Elle est rentrée tard de son excursion, papa, elle va sans doute se reposer ce matin, lui répondit Geneviève, sans préciser ni l'heure d'arrivée, ni l'état de sa belle-mère lorsqu'elle l'avait raccompagnée à sa chambre.

—Je vais aller faire un tour au marché d'artisanat avec César et ses amis, ce matin, je vais essayer de trouver des cadeaux pour les enfants.

—Quelle excellente idée! cria presque Geneviève, en l'enlaçant à nouveau tendrement. Prends bien soin de toi. À plus tard, papa chéri. Je t'aime.

Marcel quitta le bureau, abasourdi. Geneviève annonça à Rosie qu'elle avait une petite course à faire, mais qu'elle reviendrait rapidement.

En pénétrant dans la chambre de William Morane, Geneviève sentit qu'elle transgressait de nombreuses frontières. Et que tout cela pourrait ultimement signifier un aller simple pour Montréal. Sylvain Lemieux, à côté, ça serait de la petite bière.

Mais d'un autre côté, si elle ne faisait rien, et si le Manatí Park était la cible d'écoterroristes, et que les dauphins, en compagnie desquels elle avait nagé quelques mois auparavant, étaient libérés pour être jetés à la mer, comment allait-elle se sentir? Les pauvres créatures, qui n'avaient jamais connu la liberté, allaient mourir de faim en haute mer ou pire, être dévorées par les requins.

Elle était allée chercher Julia, l'une des femmes de chambre, qui s'affairait dans une suite à l'étage, pour lui demander d'ouvrir la porte de celle de son client. Elle avait prétexté une hospitalisation urgente – quoique sans gravité – pour aller chercher ses papiers d'identité.

Julia lui demanda simplement de bien fermer la porte et, surtout, de ne pas trop déranger l'ordre dans la chambre, puisqu'elle avait été nettoyée.

— Surtout la serviette en forme de cygne! N'y touche pas! Je sais que je fais la moitié de mon pourboire de la semaine grâce à ce cygne.

La chambre de William Morane était en ordre. Comme s'il n'avait pas vraiment défait sa valise, constata Geneviève en l'apercevant, remplie à ras bord. Les tiroirs étaient vides. Cet homme voulait pouvoir quitter rapidement les lieux.

Un maillot de bain, de marque Billabong et de bon goût, était accroché sur la tringle de douche. La salle de bains contenait peu d'effets personnels : un rasoir, une brosse à dents et un tube de dentifrice. Mais pas de soie dentaire, constata Geneviève, horrifiée. Ni de crème solaire. Ni de crème tout court. Comment pouvait-on vivre ainsi, sans crème? William Morane était un spartiate. Ou un ancien détenu, habitué à peu de confort.

Elle frissonna. Elle ne pouvait rester trop longtemps dans la chambre de son client suspect. C'était dangereux. Peut-être était-il violent? S'il la découvrait ainsi, comment réagirait-il? L'abattrait-il sur le champ? Auquel cas, où camouflerait-il son cadavre? Elle pensa à sa famille, à ses enfants, à son père. Sa fille abandonnerait sans doute ses études de comptabilité pour partir à sa recherche. Après dix ans d'enquête, elle produirait un documentaire poignant, *Disparue*, peut-être primé dans un festival, où elle raconterait cette quête vaine et frustrante. Son fils créerait des toiles encore plus sombres qu'à son habitude. Peut-être sa paralysie s'étendrait à tout son corps, et il se mettrait à peindre avec la bouche. Quant à son père, elle le voyait perdre définitivement la tête, et se mettre à bouffer les vis et les clous qu'il collectionnait, en tournant en rond autour d'un tapis *WELCOME* de chez Canadian Tire.

Les larmes lui montèrent aux yeux devant pareil scénario catastrophe.

Mais elle se secoua. Il fallait faire vite. Si Morane avait quelque chose à cacher, ça serait dans sa valise, se dit-elle. Elle se mit à la fouiller, mais discrètement, pour ne pas laisser de traces de son passage. Elle remarqua que ses sous-vêtements étaient de marque Dolce & Gabbana, ce qui était franchement étonnant chez un tel rustre, ex-taulard de surcroît. Il y avait une grande quantité de t-shirts, plusieurs avec des imprimés divers, mais aucun de ceux arborant les dauphins. Sans doute avaient-ils été mis au lavage. Elle aperçut le sac blanc en plastique que le Princess Azul fournissait à ses clients pour leur linge sale, déjà bien rempli. Au moins, William Morane semblait être propre de sa personne.

Elle fouilla dans la pochette supérieure de la valise et y vit un porte-document. Elle l'ouvrit et en extirpa plusieurs cartes d'identité. D'abord un passeport, qu'elle ouvrit, et qui était au nom de William Morane, né à Montréal en 1962.

Il y avait aussi un permis de conduire.

C'était bel et bien William Morane qui y était photographié. Mais le nom qui apparaissait n'était pas celui de son client. Il s'agissait d'un dénommé Aimé Gaillard. Domicilié au 3664 avenue Georges-Vanier, à Montréal.

— Bordel !

En proie à une excitation démesurée, Geneviève replaça minutieusement les documents dans la valise et quitta la chambre précipitamment.

— Rhénébièbé, le directeur général n'est pas à son bureau en ce moment, mais dès qu'il revient, je te préviens, d'accord ?

Paloma, l'assistante de Federico del Prado, répétait cette phrase pour la troisième fois, mais Geneviève semblait ne pas la comprendre. Elle devait le voir dès maintenant, c'était urgent. Dès qu'elle avait mis les pieds à son bureau, elle avait téléphoné à Paloma.

— Il avait quelques rendez-vous en ville ce matin, lui dit cette dernière sous le ton de la confidence. Entre autres, avec un dentiste. Monsieur del Prado a une rage de dents.

Ça tombait vraiment mal. Et si William Morane était en train, à l'instant même, de commettre l'irréparable au Manatí Park ?

Geneviève avait cherché le nom d'Aimé Gaillard sur le Web et en avait trouvé quelques-uns, essentiellement en France, dont un conseiller municipal. Mais aucun au Québec.

Sans être aussi étrange que William Morane, le nom d'Aimé Gaillard n'était pas banal non plus. Un mélange de féminité et de virilité. Et puis le prénom ne collait pas à un homme aussi bourru et mal embouché. Comment une mère avait-elle pu choisir Aimé pour un tel nourrisson ? Elle imaginait un bébé grognon et boudeur, à l'image de l'adulte qu'il était devenu. À moins que, charmant et adorable à la naissance, bébé Aimé se soit transformé en petit délinquant après quelques dures épreuves que la vie lui avait apportées. Ce scénario était sans doute le plus probable.

Et puis ce prénom lui rappelait Fritz-Aimé Jean-Pierre, le sorcier qui avait failli provoquer la mort de Federico del Prado quelque cinq mois plus tôt, en ensorcelant accidentellement un client.

Elle en entendait parler régulièrement depuis, par ses clients qui s'aventuraient dans son centre ultramoderne, dans la montagne, ou par les membres du personnel qui le fréquentaient. Elle avait appris qu'il avait dû s'absenter plusieurs semaines, officiellement pour « ressourcement », mais dans les faits pour tenter de retrouver un client, en Suisse, qui s'était mis en tête de vendre une usine de vis à un consortium indien.

Le hic, c'est que l'homme, un dénommé Didier Chaise, n'avait pas d'usine à vendre.

Fritz-Aimé avait malencontreusement inversé les demandes de deux de ses clients et contacté les mauvaises personnes dans l'au-delà, avec des renseignements inadéquats pour chacun d'entre eux. Geneviève avait dû gérer la crise de folie de Stéphane Dicaire, qui avait été ultimement reprogrammé avec succès, mais le Suisse était reparti chez lui.

Il infiltrait les systèmes informatiques d'usines ou de manufactures de vis, usurpant l'identité des véritables propriétaires, et prenait contact avec des acheteurs potentiels, en Inde. Son cas avait été médiatisé et Fritz-Aimé en avait eu des échos. Il était parti deux semaines plus tôt pour Genève, à l'Institut psychiatrique où avait été interné Didier Chaise, et n'était toujours pas de retour, à ce que Geneviève avait compris.

Elle avait reçu des nouvelles rassurantes de la famille Dicaire. L'épouse de Stéphane, Julie Turbide, lui avait fait parvenir une gentille carte de vœux, à Noël, où toute la famille était photographiée, en compagnie d'un labrador brun.

« Tout est rentré dans l'ordre, merci mille fois pour votre aide, Geneviève. Stéphane est plus heureux que jamais à son usine et ne regrette pas d'avoir rejeté l'offre d'achat indienne, même si la moitié de sa famille ne lui parle plus. Ça s'arrangera, comme on dit. Amitiés, Julie. »

Un détail dans la photo donna cependant un petit frisson dans le dos de Geneviève : affichée sur le mur, derrière la famille, on voyait une immense photo laminée d'un chalet suisse, avec le drapeau rouge et blanc flottant au vent.

— Rosie, comment trouves-tu ce prénom, Aimé, pour un homme ? demanda Geneviève à sa collègue.

Celle-ci fit la moue.

— Ça fait pas sérieux. Comment tu peux négocier un contrat, disons, d'asphalte, en t'appelant Aimé ?

— C'est sûr que c'est mieux si tu t'appelles Lino ou Paolo, répondit Geneviève en pouffant de rire, mais sa collègue italo-montréalaise ne la trouva pas drôle.

— Tu peux être dans l'industrie de l'asphalte sans être Italien, Geneviève.

Celle-ci ne l'entendait déjà plus. Elle avait retrouvé dans son *iPhone* l'album *Unita (Le best of)* du groupe français Indochine. Elle fit jouer à tue-tête la chanson *L'aventurier*.

Égaré dans la vallée infernale

Le héros s'appelle Bob Morane

À la recherche de l'Ombre Jaune

Le bandit s'appelle Mister Kali Jones

Avec l'ami Bill Ballantine

Sauvé de justesse des crocodiles

Stop au trafic des Caraïbes

Escale dans l'opération Nadawieb.

— Je vais aller lui chanter ça, à mon bel Aimé, on verra bien la tête qu'il fera, dit Geneviève, qui dansait sur le rythme endiablé de cette chanson mythique. Il comprendra que je l'ai démasqué.

— Je sais pas ce que t'as mangé ce matin, Geneviève, mais tu es déchaînée, lui dit Rosie.

Geneviève se garda bien de lui dire qu'elle avait pris une dose de Ritalin et qu'une nouvelle vie commençait pour elle.

Trois «lionnes de Saint-Bruno» entrèrent à ce moment-là dans le bureau. Elles avaient lu les sites Web des quotidiens québécois et voulaient toutes s'inscrire à un cours de plongée en apnée avec Gonzalo Resurrección.

— Je vais essayer de vendre une photo de lui au *Journal de Montréal*, dit l'une des lionnes. Je suis certaine qu'ils vont l'acheter. Vous avez su pour Chrystal-Lyne? Elle va probablement être éjectée de la maison dès cette semaine à cause de son amour pour ce moniteur. Apparemment, il veut devenir médecin. Bonne chance pour être accepté à l'université! Ma fille avait une cote R de 33 et elle a même pas été convoquée aux entrevues!

— Je vais regarder rapidement s'il reste de la place pour un de ses cours, ça m'étonnerait, on est déjà jeudi.

Le cours de plongée en apnée à la piscine avec Gonzo Resurrección était effectivement complet jusqu'au samedi. Geneviève proposa aux femmes le cours de son remplaçant, le vendredi. Il n'était pas complet pour l'instant.

— Merci, sans façon, répondit l'une des femmes. C'est vraiment avec lui qu'on veut faire le cours. Sinon, vous croyez qu'il acceptera d'être photographié en notre compagnie?

— Oui... pourquoi pas? Demandez-lui, dit Geneviève en jaugeant rapidement les trois femmes. Dans la mi-quarantaine, elles étaient un peu âgées pour les critères du *playboy* du Princess Azul. Mais il accepterait sans doute de se faire prendre en photo.

Les lionnes quittèrent, et Geneviève en profita pour aller sur le site d'Interpol, histoire de voir si Morane/ Gaillard était recherché.

Sur la page d'accueil, une section était consacrée aux « atteintes à l'environnement » et l'illustration représentait la peau d'un tigre, visiblement décédé. « La criminalité liée aux espèces sauvages et celle liée à la pollution peuvent menacer l'économie, la sécurité, voire l'existence d'un pays », était-il écrit.

Certes, le coup fumant que complotait Aimé Gaillard ne menaçait pas l'existence de la République dominicaine, mais il était assez grave pour qu'on s'en préoccupe.

Elle se dirigea ensuite vers la section des « *Wanted Persons* ». Il y avait là une trentaine de pages, remplies de photos majoritairement d'hommes, plutôt jeunes, et plutôt basanés. Rien qui ne ressembla à son client, cependant. Il n'était sans doute tout simplement pas fiché.

Geneviève reçut un courriel de la messagerie interne. Paloma lui fixait un rendez-vous avec le directeur général vers treize heures. Il aurait peu de temps, l'avertit-elle.

Treize heures. Elle consulta rapidement les sites de nouvelles de la région pour voir si un incident était survenu au Manatí Park. Rien à signaler. Elle avait deux heures à perdre, et se sentait fébrile. Elle n'avait pas envie de remettre en ordre les dossiers jetés pêle-mêle au recyclage, et se mit à griffonner de nouveaux haïkus, lorsque France Tremblay entra dans le bureau.

— France ! cria-t-elle. Je ne vous oublie pas ! Je remplis votre questionnaire aujourd'hui sans faute !

— Y'a pas de souci. Je venais juste aux nouvelles.

Le professeur portait l'un des ensembles achetés l'avant-veille, un bermuda vert et un polo rayé vert et bleu. Geneviève remarqua que les vêtements semblaient au moins une taille trop grande. Elle regretta de ne pas avoir prêté davantage attention au moment de l'essayage. À moins que France ait perdu un peu de poids entre-temps.

Il avait surtout l'air fatigué.

— J'ai mal dormi, Geneviève. Toujours ce cauchemar de moi sur un tricycle jaune, qui s'enfonce dans l'eau. Mais je suis adulte, dans ce rêve, et je ne suis pas dans le lac Saint-Jean, mais dans un océan.

— Ah bon? demanda Geneviève, qui voulait savoir comment il avait pu ainsi discerner le type de fonds marins.

— Il y avait des requins, répondit-il. Ils me tournaient autour. Et moi, je voulais me noyer avant qu'ils me dévorent, pour ne pas souffrir, voyez-vous, mais ça ne marchait pas... Quand je me suis réveillé, en hurlant, il y avait un requin qui s'apprêtait à me dévorer le nez. Je sentais son haleine.

— C'est horrible, lui dit Geneviève. France, vous devriez aller vous reposer à la plage, sous un cocotier, ça vous remettra de votre mauvaise nuit. Mais ne vous éloignez pas de la rive, de grâce!

— Ne vous inquiétez pas.

— On pourrait se rejoindre vers seize heures au café, qui est non loin de la réception, dans l'Allée des palmiers royaux. Je répondrai directement à vos questions, ça ira plus vite.

Avant d'aller luncher, Geneviève fit un crochet à la chambre de Desneiges. Elle frappa, mais n'obtint pas de réponses. Soit sa belle-mère dormait toujours, ce qui s'expliquait aisément, soit elle était déjà au buffet.

Geneviève avait surtout hâte de savoir ce qui s'était passé sur le chemin du barrio Guachupita.

Elle traversa l'enceinte de la piscine et y vit son père en train de jouer aux cartes avec ses amis. Les triplettes y étaient. L'une d'elles se leva en l'apercevant et se dirigea vers Geneviève, l'air soucieux. Il s'agissait de Pauline.

— Avez-vous de bonnes nouvelles pour nous? demanda-t-elle.

Geneviève fut désolée de lui répondre une fois de plus par la négative. En fait, elle doutait que le gardien de sécurité Jose Jesus Escobar eût été plus loin que le simple rapport écrit. Comme il lui avait expliqué, le fait que la porte soit restée ouverte pendant de longues minutes augmentait de manière exponentielle la liste de suspects potentiels.

— Allez-vous organiser une petite cérémonie quand même? demanda Geneviève, qui était sincèrement attristée par la douleur évidente des triplettes.

— Avec quoi? lui répondit Pauline. Qu'est-ce qu'on peut jeter dans l'eau? Quand même pas du sable! Maman n'est pas là-dedans!

— Il y a un prêtre qui vient régulièrement au Princess Azul, notamment pour des mariages, mais j'ai aussi vu un baptême. Pourquoi pas une cérémonie funéraire? Il n'y a qu'à le commander, je peux m'en charger, si vous voulez. Padre Esteban, c'est son nom.

— Vous êtes gentille, Geneviève, mais ça prend quelque chose, comme un corps, disons, ou ses restes. Je vais quand même en parler à mes sœurs.

Marcel voulait terminer sa partie de cartes avant d'aller dîner et Geneviève alla seule au buffet. Son cœur battit lorsqu'elle aperçut, à son endroit habituel, dos au mur, l'assiette débordante de nourriture, William Morane, alias Aimé Gaillard. Ou l'inverse.

Le moment de la confrontation était venu. Elle se répéta mentalement tous les signes qu'elle devrait observer. Les clignements de l'œil. La position des bras. Et qui sait, peut-être verrait-elle apparaître le terrible *yang sanpaku*, signe que son client réfrénait une colère terrible?

Elle se dirigea droit sur lui. Il la vit arriver et pencha la tête dans son assiette, comme s'il voulait sentir ses pâtes avec ses narines.

— Bonjour, lui dit Geneviève.

Il releva lentement la tête, visiblement contrarié. Geneviève dut convenir que ces quelques jours au soleil, même s'il en avait utilisé une partie à des fins douteuses, lui avaient donné un joli teint et faisaient ressortir ses yeux bleu métallique. Sinon, il avait l'air toujours aussi bête.

— J'espère que vous passez de belles vacances, monsieur... Morane c'est ça?

Elle observait son visage. Elle crut déceler le début d'une interrogation.

— Quel beau nom vous avez! Original! Tenez, je vais vous faire entendre quelque chose...

Elle sortit son *iPhone* et se brancha sur Indochine et *L'aventurier*. Elle n'en revenait pas de son audace, de sa témérité. Elle s'apprêtait à compter les clignements d'yeux de son client, lorsque la musique se fit entendre.

Ça n'était pas *L'aventurier* mais une autre chanson sur l'album, *Tes yeux noirs*. À son immense désarroi. C'était une version remixée, et une phrase était répétée, sans arrêt, sur une musique langoureuse: Viens là... Viens là, viens là... Viens là...

Les deux mots revenaient en boucle et Geneviève prit d'interminables secondes pour fermer carrément son appareil.

Pas besoin d'être synergologue pour analyser sa réaction : ses joues étaient en feu, sa bouche crispée, et sa gestuelle, nerveuse.

Morane, de son côté, semblait franchement surpris. Il avait la bouche ouverte, et le regard interrogateur.

— Monsieur... Morane, désolée, il y a eu une erreur. En fait, voici ce que je voulais vous chanter.

Une fois de plus, Geneviève s'étonna elle-même lorsqu'elle se mit à chanter les premières paroles de *L'aventurier*.

Égaré dans la vallée infernale

Le héros s'appelle Bob Morane

À la recherche de l'Ombre Jaune

Le bandit s'appelle Mister Kali Jones

Avec l'ami Bill Ballantine

Sauvé de justesse des crocodiles

Geneviève s'arrêta net et regarda Morane dans les yeux. Il ne clignait plus des paupières. Il était en mode « mensonge », camouflage, se dit-elle.

— Vous chantez très bien, madame, répondit-il, en esquissant le début d'un sourire.

— Peut-être préférez-vous cet air ? C'est du Jean Ferrat...

Celle-là, Geneviève ne l'avait elle-même pas vue venir. Son cerveau en feu lui ordonnait de chanter cet air, magnifique au demeurant, de Jean Ferrat, *Aimer à perdre la raison*.

Aimer à perdre la raison

Aimer à n'en savoir que dire

À n'avoir que toi d'horizon

Et ne connaître de saisons

Que par la douleur du partir

Aimer à perdre la raison

Cette fois, Morane/Gaillard réagit. Il se leva. Il dépassait Geneviève d'une bonne tête. Elle vit qu'il avait les mains derrière le dos. Sa mâchoire carrée était crispée, ses lèvres, serrées. Geneviève analysa tout ça à vive allure puis lui demanda, sans peur :

— Quelle chanson préférez-vous, monsieur... Morane ? Laquelle AIMEZ-vous le mieux, dit-elle en appuyant exagérément sur le prénom de monsieur Gaillard, domicilié sur la rue Georges-Vanier, à Montréal.

L'expression de l'homme était un livre ouvert pour synergologue amateur, se dit Geneviève, satisfaite de l'effet de ses paroles : il était fâché, contrarié, surpris, excédé. Par ailleurs, ses yeux clignaient à toute allure, signe qu'il avait déjà perpétré un mensonge. Geneviève se souvenait de l'affaire DSK. Sauf qu'il n'avait dit jusque-là que : «Vous chantez très bien, madame!»

Ça ne pouvait sûrement pas n'être que ça. Geneviève décida de cesser de tourner en rond et d'aller droit au but.

— Êtes-vous William Morane, horticulteur à Terrebonne? Jurez-vous que vous êtes bien cette personne? demanda Geneviève, qui faillit ajouter «devant cette Cour» avant de réaliser qu'elle n'était ni avocate, et encore moins juge.

Les clignements d'yeux s'arrêtèrent brusquement. Les yeux de Morane/Gaillard étaient de glace. Mais il ne pipa mot.

— Aimez-vous les dauphins au point de... au point de vouloir leur imposer une pseudo-liberté qu'eux-mêmes ne souhaitent pas? demanda alors Geneviève.

Elle faillit ajouter «êtes-vous un écoterroriste», mais elle se retint. Avant de prononcer ces mots, il lui faudrait une aide extérieure. La sécurité de l'hôtel devait être avisée. La police devrait alors se tenir tout près. L'armée aussi, peut-être.

— Les dauphins? demanda-t-il, cette fois l'air quelque peu hagard.

— Répondez-moi, s'il vous plaît.

—Vous voulez que je vous réponde si j'aime les dauphins? Les dauphins? Et si je ne vous réponds pas, madame Cabana, vous allez faire quoi? M'agresser? Me jeter un de vos diplômes encadrés par la tête? Vous les avez sur vous, peut-être? Ou vous utilisez désormais des chansons débiles pour faire passer votre agressivité? Vous avez changé de méthodes, mais vous avez toujours le même problème, madame. Ça mériterait un psy. Un bon, je veux dire.

Sur ce, il abandonna la table, son assiette encore pleine, contourna Geneviève et se dirigea vers la sortie d'un pas faussement nonchalant.

Geneviève resta figée sur place, pétrifiée. Il savait tout. Il l'avait espionné. *Googlé*. Il avait fouillé dans sa vie. Suspicieux dès le début, il avait voulu savoir à qui il avait affaire, pour pouvoir mieux la neutraliser. Elle était démasquée. Et se sentait vaguement humiliée. L'homme était fort. Sans doute entraîné par les meilleures milices pro-environnementales.

Elle avait par ailleurs perdu le fil de son comptage de clignements d'yeux.

Il était presque treize heures. Il était temps d'aller raconter tout ça à Federico del Prado Mayor, avant que l'irréparable ne se produise.

Le directeur général n'était pas le genre d'homme à laisser transparaître ses émotions, mais il semblait réellement surpris par l'annonce de Geneviève.

Celle-ci avait été directement au cœur du sujet, sans préambules. À peine assise devant del Prado, qui avait la moitié du visage encore anesthésié, elle avait lancé cette bombe.

— Un de mes clients est peut-être, sans doute, sûrement, un terroriste écologique. Sa cible : les dauphins du Manatí Park.

Il se cachait parmi les vacanciers sous un faux nom, avait-elle poursuivi, emprunté d'un personnage de romans jeunesse des années soixante et soixante-dix. Ses t-shirts à l'effigie de dauphins avaient mis la puce à l'oreille de Geneviève, puis son comportement bourru et secret, son camouflage dans les arbustes fleuris, son excursion en taxi à Saint-Domingue, ses sorties répétées à Bavaro, auprès d'individus louches, puis la cerise sur le sundae : la découverte de sa véritable identité. Elle resta vague sur la manière dont elle avait obtenu cette information, sinon qu'elle était tombée « par hasard » sur son permis de conduire.

— En espagnol, son prénom serait « Querido », c'est un peu ridicule, je vous l'accorde, mais pas plus que sa fausse identité.

Elle se leva, alla à l'ordinateur du directeur général et tapa les mots Bob Morane. Une série de photos du héros apparurent sur le grand écran.

— Vous voyez le genre d'individu à qui on a affaire ?

Son estomac se fit alors entendre de manière sonore et disgracieuse. Geneviève se rappela qu'elle n'avait pas dîné.

— Mais pourquoi William Morane, alors que le héros du livre s'appelle Bob Morane? interrogea Federico del Prado.

Il avait de la difficulté à bien articuler, et sa bouche se tordait d'un côté. Son zozotement était accentué. Même ainsi, après un rendez-vous chez le dentiste, il demeurait séduisant, se dit Geneviève.

— Il a fait un amalgame: le meilleur ami de Bob Morane, c'est Bill Ballantine. William, donc. Bon, c'est un peu retardé comme stratagème, et je suppose que Scotland Yard l'aurait rapidement démasqué. Par ailleurs, comme psy, ça semble être une volonté inconsciente de rester à un stade préadolescent en termes de maturité émotive. Ça serait touchant, en fait, s'il ne s'avérait pas être, aussi, un terroriste.

— Hmmm... William Morane...

— Tous les terroristes ne sont pas nécessairement moyen-orientaux, avec des noms comme Abou Al-Etchetera, dit Geneviève, qui trouvait que le directeur général semblait prendre avec légèreté ses informations choc.

— Oh! je sais, Rhénébièbé. Comme Espagnol, nous avons eu les Basques, l'ETA, vous savez, et je considère que tout gouvernement socialiste est une forme de terrorisme, mais bon...

Del Prado tapa longuement sur son clavier. À mesure qu'il lisait, il semblait de plus en plus songeur. «J'ai tapé dans le mille!» se dit Geneviève.

— Rhénébièbé, dit-il en levant la tête, merci pour ces informations. Nos agents doivent demeurer en tout temps vigilants et vous avez fait preuve de beaucoup de... de curiosité.

Le ventre de Geneviève gargouilla à nouveau bruyamment.

— C'est tout?

— C'est tout pour vous. Laissez maintenant la direction du Princess Azul s'occuper de ce cas... délicat.

— Il faut vous dépêcher! Le séjour de cet homme se termine, en principe, samedi soir. Il voudra faire son coup avant, il me semble.

Elle poursuivit en lui parlant de son attachement particulier aux dauphins. Enfant, elle suivait assidûment la série *Flipper*. Elle chercha sur son *iPhone* une trace de ce programme fétiche sur YouTube et lui fit voir le générique d'ouverture.

— Oui, je connais *Flipper*, moi aussi. Je le regardais à Madrid. Rhénébièbé, ne vous inquiétez pas pour les dauphins... Je m'occupe de tout. Mais dites-moi... La dame de Los Nieves, votre belle-maman, elle avait fait un cauchemar?

Geneviève prit un certain temps pour comprendre que le directeur général parlait de leur rencontre au petit matin. Lui, faisant son jogging, et elle, soutenant une Desneiges chancelante, dans un état lamentable.

Elle crut un moment qu'elle avait mal entendu, et que del Prado voulait dire qu'elle avait «vécu un cauchemar», et non pas «fait» un cauchemar, mais celui-ci enchaîna.

— Je vous dis ça parce que nous avons eu des cas de somnambulisme chez notre clientèle, notamment âgée. Il n'est pas rare de les voir déambuler, l'air hagard, en pyjama, les cheveux hirsutes. On a retrouvé un vieux Croate dans la piscine de mon précédent hôtel, le

Princess Azul de Marbella, en Espagne, un beau matin. Malheureusement décédé. Toute une histoire! dit-il en se passant la main sur le front. Nous avons eu la presse nationale croate sur le dos. Ma carrière a failli prendre fin ce jour-là. Mais cet homme était somnambule, et des précautions auraient dû être prises avec son voyagiste... La famille a poursuivi, et j'ai appris que les enfants du défunt avaient gagné un voyage par année, à vie, vers la destination de leur choix. C'est pas mal quand même.

Geneviève pensa alors à la vitesse de l'éclair. C'était complètement fou, les pouvoirs cognitifs que lui donnait le Ritalin.

— Effectivement, ma belle-maman est somnambule et elle émet un signal... enfin, son téléphone en émet un, si elle se lève brusquement en pleine nuit. Je l'ai retrouvée sur les marches de l'aile B. Plus de peur que de mal! s'exclama Geneviève, très fière d'elle.

— Et si elle va à la salle de bain durant la nuit?

La question méritait effectivement d'être posée.

— Elle désactive elle-même son signal. C'est très bien fait, très moderne.

Là-dessus, Federico del Prado se leva pour lui serrer la main, signifiant ainsi que sa séance était terminée. Geneviève avait fait son devoir. La balle était maintenant dans le camp de la direction du Princess Azul.

Ces questions sur Desneiges lui rappelèrent qu'il lui fallait aller vérifier l'état de santé de son ex-belle-mère.

Celle-ci répondit après plusieurs coups frappés à sa porte. Elle venait visiblement tout juste de se lever. Elle respirait bruyamment, comme si elle était encore en train de ronfler.

— Geneviève, bon matin, ma chère enfant.

— Bon après-midi, plutôt, Desneiges. Il est passé quatorze heures.

— Ah oui ? J'avais sûrement besoin de récupérer, après la nuit que j'ai passée.

— Est-ce que je peux savoir ce qui est arrivé ? Les autres filles sont aussi dans leurs chambres, à récupérer.

Desneiges fit une petite moue.

— Plus tard, ma belle fille. Je vais me doucher, d'abord, puis aller déjeuner. Je te raconterai tout après. À l'apéro, tiens. Si j'arrive à me souvenir de ce qui est arrivé, en fait...

Geneviève alla se chercher un peu de nourriture au buffet. Son ventre se faisait entendre de plus en plus bruyamment. Elle était vaguement étourdie. Il lui semblait que ses pulsations cardiaques étaient décuplées. Mais elle se sentait toujours aussi énergique.

Elle prit une portion supplémentaire et se dirigea vers le studio de Sylvia, dans l'aile C du complexe.

— Je t'apporte à manger, dit-elle à son amie, en entrant chez elle.

Tous les stores étaient fermés. Sylvia était installée sur son sofa, une couverture ramenée sur elle. La télé était allumée et elle regardait un match de son équipe favorite, celle de sa ville natale, Manchester United, contre une équipe italienne.

— Les Italiens sont insupportables, dit-elle. Même les non-Italiens qui jouent pour des équipes italiennes finissent par devenir comme eux. Wayne Rooney en a à peine effleuré un tout à l'heure, et le gars a fait trois roulades arrière et avant, en criant comme un demeuré. Puis, il s'est mis à pleurnicher en se tenant la joue, comme un petit enfant. Peux-tu croire que c'est le même peuple qui a inventé la mafia ?

Sylvia avait mis de la glace sur le poignet de son bras droit, ainsi que sur sa cheville gauche. Elle avait aussi une tuque à l'effigie de Manchester United sur la tête, ainsi qu'un foulard aux mêmes armoiries dans le cou. Pourtant, la climatisation était au minimum.

Geneviève sentait confusément que son amie n'était pas du tout pressée de lui raconter les détails de leur virée au barrio Guachupita. Elle décida d'engager la conversation sur ce qu'elle avait découvert en fouillant sur le site Web de son fils, balthazartheartist.com.

— Je suis un peu découragée des jumeaux. Est-ce que je devrais rentrer à Montréal? Mon fils se fait passer pour un handicapé pour vendre des toiles au monde arabe, ma fille veut lâcher son cours de comptabilité, et elle accueille des réfugiés indiens à la maison...

Sylvia éclata de rire, ce qui provoqua un gémissement quelques secondes après.

— Mais non, Gen, tes enfants sont juste normaux. J'aurais rêvé que ma fille, Electra, soit un peu plus délinquante, mais comme tu sais, elle est tellement *straight*. Mariée à vingt-cinq ans avec un type qui travaille à la City, imagine. Mais je crois que mon coquin de petit-fils sera plus à mon image. Regarde comme il est beau!

Avec son bras sain, Sylvia prit une photo installée sur la table de chevet et la donna à Geneviève. On y voyait un magnifique poupon couleur chocolat, d'environ six mois, qui souriait de ses trois uniques dents. Hannibal. Le petit-fils adulé de Sylvia, qui vivait sous le gris ciel londonien.

— Plus tard, je sortirai en boîte avec lui. Je n'ai pas pu le faire avec Electra. Elle ne sortait jamais. Toujours en train d'étudier...

Sylvia avait prononcé ces derniers mots sur le même ton que si elle avait dit: «toujours enfermée dans des centres pour délinquantes, sans permissions. Prostitution, vols, polytoxicomanie... »

— Ils vont venir voir Mamie cet été, dit-elle en embrassant le portrait du bébé. Gen, si tu es patiente, peut-être auras-tu un jour dans ta famille un aussi joli bébé mélangé...

Geneviève haussa les sourcils.

— J'ai vu sur Facebook la photo de ta fille Anne avec son nouveau petit copain, un dénommé Shah. Beau bonhomme...

— Ah lui ? C'est le type qu'elle héberge quelques jours, en attendant qu'il se trouve un appartement...

— Ben oui...

Geneviève décida qu'il était temps d'en venir aux faits.

— Et toi, comment tu vas ? demanda-t-elle. Je crois comprendre que la nuit a été longue ?

Le cellulaire de Sylvia sonna au même moment. Elle écouta un moment, puis prononça les mots : « Un jeep, oui. » Puis, un moment plus tard : « Une rivière, oui, mais nous ne savons pas laquelle. Non, c'est ça. Notre GPS était défectueux. Vous auriez dû le vérifier avant de nous louer cette voiture ! »

Sylvia écouta, puis prit en note ce qui ressemblait à un numéro. « Donc le jeep a émergé des eaux... Où c'était ? Ah bon ! Je ne connais pas, non. Il faudra jeter ce GPS, madame. Il nous a égarées. Je ne poursuivrai pas votre compagnie, mais sachez que notre vie a été mise en danger. »

Long silence de Sylvia, puis sa réponse, cinglante. « Ne me dites pas ça, madame. Si le type du GPS dit qu'il faut continuer sur la route, je continue. Si cette route débouche sur une rivière et que le type continue de dire :

"Roulez jusqu'au prochain feu de circulation", eh bien, je roule. Pas de ma faute s'il s'agissait d'une rivière. J'ai foi en la technologie, madame. C'est ce qui nous a sauvés de la polio et de la petite vérole. »

Sylvia continua d'écouter en levant les yeux au ciel. « Je vous en saurais gré, madame. J'attendrai donc les documents pour les signer. C'est ça. Soyez heureuse que nous en restions là. Il y avait une très vieille femme dans cette voiture, à moitié handicapée et obèse, et nous sommes passées à deux doigts de la perdre dans le courant de la rivière. Une Canadienne, madame, alors imaginez dans quel pétrin vous auriez été. C'est ça, au revoir, madame. »

En raccrochant, Sylvia éclata de rire. Elle continua de rire jusqu'à ce qu'elle voie la tête que faisait Geneviève.

— C'est une blague. *Snowy* n'a pas été en danger. Enfin, pas vraiment. Juste un peu.

Sylvia baissa le son du téléviseur, au moment où l'équipe italienne venait de compter un but.

— Le gardien de Manchester est trop long, dit-elle en hochant la tête. Il a comme des trous dans le corps. Il me fait penser au personnage de Gumby. Tu sais, on peut le tortiller dans tous les sens... Mon Dieu, Gen, on dirait que les yeux vont te sortir de la tête ! Tu as fumé quoi ?

— Mes yeux ?

Geneviève se sentait effectivement dans un état de surexcitation. Mais elle ignorait que cela puisse se voir dans ses yeux.

— Je... J'ai pris une dose de Ritalin ce matin...

— Ah non ! Pas encore ta folie de déficit d'attention ! Tu te vois pas la tête ! On dirait que tu vas imploser !

— Sylvia, ne change pas de sujet. Qu'est-ce qui est arrivé hier pour que mon ex-belle-mère de soixante dix-huit ans revienne dans cet état?

Sylvia se leva pour aller porter les sacs de glace dans le congélo. Elle portait une camisole et un simple sous-vêtement. Elle en profita pour prendre deux comprimés de Tylenol et revint s'affaler sur le divan.

— Mon père m'a appris une chose dans la vie: si tu sens que tu seras accusée de quelque chose, accuse à ton tour. Voilà pourquoi tu m'as entendue raconter ça à la fille de la compagnie d'assurance, tout à l'heure. Elle m'aurait accusée de négligence. Je lui ai dit que la faute était au GPS. Mais comme il vient de passer douze heures sous l'eau, ils ne pourront pas vérifier s'il était ou pas en état de fonctionner hier...

— Et il l'était?

— Oui, en tout cas je pense que oui, mais il a été mal programmé. J'avais confié ça à Kioko, ma navigatrice. Elle a été complètement nulle. Moi qui pensais que les Japonais étaient des genres d'êtres supérieurs...

Sylvia sortit une carte et lui montra le chemin, en ligne droite, pour se rendre chez Gonzo Resurrección. Puis, celui, tortueux et dans la mauvaise direction, que les quatre femmes avaient fait la veille.

— On s'est perdues. Et à chaque village, eh! bien, on s'arrêtait, et pour remercier les gens du resto-bar de nous aider, on leur prenait une petite bière, tu comprends?

Après des heures à errer dans la Cordillera Oriental, les quatre femmes réalisèrent qu'elles ne se rendraient jamais au barrio Guachupita. Comme elles n'avaient pas le cellulaire des parents Resurrección, elles ne purent même pas les avertir.

— Ça ne se fait pas, je me sens tellement mal...

En fin de journée, elles étaient arrivées dans une petite ville appelée Cañada Honda, ce qui avait mis Desneiges dans un état euphorique.

— Elle voulait faire le tour des bars, elle trouvait la coïncidence très drôle, alors on est restées là jusqu'à ce qu'il fasse nuit. Et là, ça s'est gâté...

Elles étaient en état d'ébriété, avoua Sylvia, et ne suivaient plus vraiment les indications du GPS. Il faisait de plus en plus noir, et elles s'enfonçaient dans la forêt. Kioko leur faisait répéter une chanson folklorique japonaise lorsqu'elles entendirent un fracas épouvantable, suivi d'une chute et d'un atterrissage, ou plutôt amerrissage, puisqu'elles se rendirent vite compte qu'elles étaient tombées dans de l'eau.

— Heureusement que personne n'a paniqué. L'alcool a aidée, je crois. On ne réalisait pas ce qui arrivait. Mais l'eau rentrait dans le jeep. Comme tout était ouvert, on a pu sortir facilement, mais si ça avait été une de ces voitures climatisées, avec des fenêtres fermées, je sais pas ce qui serait advenu de nous... Mon Dieu, Geneviève, rapetisse tes yeux, tu as l'air d'un de ces poissons monstrueux qu'on retrouve au fin fond des océans !

Geneviève plissa les yeux pour arriver à atteindre une dimension normale. Son cœur battait à tout rompre. Était-elle en train de faire une crise cardiaque en raison d'une surdose de Ritalin ?

— On a toutes réussi à retourner à la rive, c'était une rivière, mais sans beaucoup de courant. Puis, on a vu la voiture s'éloigner, de plus en plus rapidement, puis s'enfoncer sous l'eau. Et là, crois-le ou non, on a été prises d'un fou rire monstre.

En repensant à cette scène, Sylvia pouffa de rire, ce qui lui fit faire une nouvelle grimace. Elle se prit la tête en gémissant.

— On a ri, on a ri, et puis on a réalisé dans quel merdier on était. Il faisait noir, on était loin de tout, quelque part dans la forêt. Bien franchement, j'étais mal surtout pour *Snowy*. À son âge… Mais elle a bien fait ça. On a marché environ une heure, je ne sais plus. Il y a avait des moustiques, de la boue, des roches, une vraie galère. Je me suis fait mal au bras dans l'accident, et un peu à la cheville aussi, mais j'étais sur l'adrénaline. Et Kioko se plaignait qu'elle avait mal à la tête.

Les quatre femmes finirent par arriver à une route, dans un état lamentable. Un camionneur les ramassa. Il rit un bon coup en voyant leur tête et leur dit qu'il croyait tout d'abord qu'elles étaient des prostituées. Magnanime, il les déposa à Higüey. Et de là, elles prirent un taxi vers le Hospiten Bavaro.

— Sylvia, bordel! T'as conduit complètement saoule! À ton âge! Avec mon ex-belle-mère à bord! J'aurais expliqué ça comment, à mes enfants, s'il était arrivé quelque chose à leur grand-mère? C'est pas comme s'ils en avaient une autre de rechange. Et à mon ex? Vous avez été complètement inconscientes. Et puis tout le monde sait qu'il ne faut jamais conduire de nuit dans ce pays… Encore moins ivre morte!

— Je sais… Ça n'a pas de bon sens.

Sylvia hochait la tête, et ça semblait lui faire très mal. Tout comme le jeu de son équipe favorite.

— Ils jouent comme des pieds… Que fait mon Rooney? Geneviève, tu as raison de m'engueuler. Et puis mon médecin m'a dit que mon foie «s'hypothéquait», c'est comme ça qu'il l'a dit… Comme une maison pas payée. Il faut que je diminue l'alcool, Gen, mais ici, comment faire?

Geneviève ne pouvait qu'acquiescer. L'alcool en général, et le bon vin espagnol en particulier, coulaient à flot dans le complexe. Tout était accessible, gratuit, tout le temps.

— Je sais... C'est pas facile. Mais au moins, Sylvia, jure-moi que tu ne vas plus conduire quand tu bois ? Jure ?

— OK. Si tu me jures que tu prendras plus jamais de Ritalin ? Jure ? On dirait que t'as fait un AVC, ma belle !

De retour à son bureau, et voyant qu'il n'y avait rien d'urgent à régler, Geneviève décida d'écrire à Pierre Sansregret afin de remettre les pendules à l'heure. Pourquoi laisser traîner un pareil malentendu ?

Cher Pierre,

Papa m'a signifié ton désir de revenir au Princess Azul sous peu. Je ne peux que désapprouver cette initiative. J'ai une grande affection à ton égard, quasi fraternelle, en fait, vu les liens prénataux qui nous unissent. Mais c'est tout, Pierre. J'éprouve de l'AMITIÉ pour toi. Pas de l'AMOUR. Et ça me fera vraiment plaisir de t'inviter à mon barbecue familial estival, rue Champagneur, lors de mon séjour de deux semaines en juillet prochain.

Au revoir, cher AMI,

Geneviève

Geneviève était satisfaite de son courriel. Un peu brutal, peut-être, mais les choses devaient être dites clairement. Elle avait laissé se forger tant de malentendus, dans sa vie, il était temps que ça finisse. Sylvia avait beau dire qu'elle semblait sur le bord d'une implosion cérébrale, le Ritalin lui éclaircissait les idées.

Il était près de seize heures, et elle avait rendez-vous avec France Tremblay pour remplir son fameux questionnaire. Il l'attendait au café qui jouxtait la réception, tout juste à l'entrée de l'Allée de palmiers royaux. En l'apercevant, elle se souvint de son cauchemar de la nuit précédente, le tricycle, les requins, la noyade précédée d'un déchiquetage en règle... Pauvre homme. Pas étonnant qu'il soit si pâle.

— Je suis tout à vous! lui dit Geneviève.

— Vous avez l'air... comment dire, éveillée? Oui, c'est le mot qui me vient à l'esprit.

France avait commandé des thés au jasmin et des petits biscuits que Geneviève dévora. Le professeur sortit quelques papiers d'un sac de plage, acheté au centre commercial l'avant-veille. Tout comme ses vêtements, ses sacs de voyage avaient été incinérés par précaution. En observant sur le tissu en grosse toile les palmiers, les vagues et les petits poissons surmontés d'un Punta Cana, Geneviève se fit la réflexion qu'on ne devrait jamais retrouver du travail dans ce genre de sac.

— Les premières questions portent sur les attentes de la clientèle des tout inclus, commença France Tremblay. Entre le rêve et la réalité, nous souhaitons mesurer l'amplitude sensorielle, le dé-contact spatio-temporel, mais aussi l'acculturation crypto-passive...

Geneviève se réjouissait d'avoir pris cette dose massive de Ritalin le matin même, car d'ordinaire, elle n'aurait déjà plus écouté les propos de France Tremblay. Mais Ritalin ou pas, elle sentit que répondre à ce questionnaire serait ardu.

France Tremblay avait apporté son enregistreur.

— Quels sont les premiers mots prononcés par les clients lorsqu'ils arrivent à l'hôtel?

Geneviève accueillait sa clientèle en pleine nuit. Les «premiers mots» étaient donc rarement extatiques, puisqu'on ne voyait pas grand-chose. Elle allait répondre à France Tremblay lorsque son attention se porta sur sa collègue Olessia, flanquée à nouveau de son client Seraphim Pavlov et de ses deux enfants. Ils étaient suivis d'un des employés à l'entretien du Princess Azul, un énorme sac à outils à l'épaule. Sans doute un problème avec le levier de déclenchement de la toilette. Olessia la regarda d'un air découragé, en levant les yeux au ciel. Pavlov n'était décidément pas un client facile. Et puis c'était un très piètre juge félin.

Le couple Dion-Simard était assis à une table non loin d'eux, dégustant d'énormes *smoothies* aux couleurs pastel.

— Les premiers mots des clients... Eh bien! Ils sont fatigués du vol, alors ils ont surtout hâte d'être dans leur lit, et... Mon Dieu! Chorizo?

Un berger allemand, portant un coquet foulard tricolore au cou, était en train de renifler dans une poubelle, tout près de la table de Geneviève.

— Chorizo, c'est toi? Mais qu'est-ce que tu fais ici? Viens me voir! Bon chien, dit-elle en caressant l'animal, qui fourrait son nez dans sa jupe marine.

Le cerveau de Geneviève, qui carburait à toute vitesse depuis le matin, était en pleine ébullition. Si Chorizo, le chien de la police de Punta Cana, était au Princess Azul, cela voulait-il dire que la police elle-même y était? Son alerte chez le directeur général avait-elle déjà porté fruit?

Son excitation atteignit un niveau maximal lorsqu'elle aperçut, marchant dans l'Allée des palmiers royaux, William Morane/Aimé Gaillard. Ce sinistre individu ne le savait pas, mais il passait vraisemblablement ses derniers moments à l'hôtel...

La suite des événements se passa à la vitesse de l'éclair. Après coup, Geneviève eut de la difficulté à se rappeler la chronologie exacte, hormis la séquence finale, où elle se faisait traîner dans les arbustes, à moitié assommée, par William Morane.

C'est David Simard qui, le premier, se leva de sa chaise, comme s'il avait reçu une décharge électrique. Geneviève lui signifia de se rasseoir immédiatement, en passant un doigt sur sa bouche, lui signifiant de se tenir tranquille. Elle ne voulait pas que l'opération antiterroriste mette en danger des clients de Tour Exotica.

Mais le nouveau marié n'obtempéra pas et au grand désarroi de Geneviève, il se mit à courir en direction de la réception. Il avait senti le danger, se dit Geneviève.

Et, là, une chose incroyable se produisit. William Morane courut vers lui à une vitesse folle, renversant les tables et les chaises sur son passage, et il vola littéralement sur Simard, le jetant brutalement au sol. Chorizo jappait, Annie Dion hurlait, et des policiers surgirent des arbustes, comme des sauterelles lors d'une invasion biblique.

Bordel, une prise d'otage! Coincé, désespéré, Morane avait pris Simard en otage. Les deux hommes étaient toujours enchevêtrés au sol lorsque les policiers se jetèrent sur eux. Elle reconnut l'agent R. Ezbequiel. Mais au lieu de neutraliser Morane, les officiers s'acharnaient sur Simard. Geneviève se précipita sur eux, leur criant qu'il y avait erreur sur la personne, et comme aucun ne semblait lui prêter attention, elle grimpa à califourchon sur un des policiers dominicains et se mit à tirer sur les cheveux de Morane. Celui-ci était couché sur son autre client, qui montrait des signes de suffocation.

— Mon crisse, je vais te tuer, répétait Simard, les yeux révulsés.

Son expression ressemblait à un *yang sanpaku*, se dit Geneviève, secouée.

— Bordel ! C'est lui l'écoterroriste, dit-elle, en agrippant cette fois le dessous du menton de Morane, c'est lui le kidnappeur de dauphins ! Vous êtes tous devenus comme Chorizo ou quoi ? Vous perdez l'esprit ?

Le policier sur lequel Geneviève était étendue se releva un peu brutalement et celle-ci tomba sur le sol, se fracassant la tête. Pendant ce temps, on avait redressé David Simard, qui continuait de vociférer. Il frappa en plein visage l'un des policiers. Un geste malheureux, pensa Geneviève. L'agressivité monta d'un cran. Une arme fut brandie. Et des cris : « ¡Policia !» Les mains en l'air !

Geneviève sentit alors que quelqu'un la traînait par les pieds et l'emportait *manu militari* vers les buissons. C'était Morane. Sa tête lui faisait mal, mais elle était assez lucide pour comprendre que les choses allaient mal se passer pour elle.

Elle eut une tendre pensée pour son père. C'était son anniversaire le lendemain. Il n'aurait peut-être plus de fille pour le célébrer. Qui éventrerait la piñata en forme de tortue marine ?

— Tu restes là, et tu te la fermes, OK ?

Geneviève ouvrit la bouche pour protester, mais Morane ne lui laissa pas le temps de continuer.

— Tu la fermes et tu restes là. On est en train d'arrêter un fraudeur de haut calibre, ma belle, y'a pas erreur sur la personne, je te le garantis.

Morane partit rapidement vers les policiers, qui semblaient avoir la situation bien en main. Simard avait été menotté. Son épouse criait toujours. Chorizo avait renversé la poubelle et se servait allègrement dans son contenu. Un attroupement s'était fait, mais le gardien de sécurité Jose Jesus Escobar dispersait tout le monde gentiment.

Geneviève était sonnée. Si elle avait bien compris, ce dont elle n'était pas entièrement certaine, elle s'était trompée sur toute la ligne. En plus elle avait mal à la tête. Et en plus, Morane l'avait tutoyée, comme s'ils se connaissaient depuis toujours.

Elle se releva péniblement et se dirigea vers France Tremblay, qui était debout près de la table, l'air effaré.

— Je suis désolée pour ce léger incident, France. Ça n'arrive jamais dans un tout inclus, rassurez-vous. Voulez-vous poursuivre votre questionnaire ?

Avant même qu'il ne puisse répondre, Chorizo, qui se faisait appeler depuis plusieurs minutes déjà par ses maîtres policiers, sauta sur France. Geneviève crut qu'il s'agissait d'un geste d'affection, comme Chorizo savait le faire, mais il se mit à grogner. France semblait nerveux. Et comme chacun sait, les chiens sentent la peur comme un chacal, le sang. Ils s'en délectent. La situation dégénéra rapidement lorsque le professeur se tourna un peu brusquement, pour faire dos à Chorizo.

Aussitôt, le berger allemand, qui interpréta ce geste comme une menace à l'ordre public, mordit le postérieur du professeur, lui arrachant le tissu de son bermuda Billabong coloré.

France hurla de douleur.

— Chorizo ! Arrête !

Geneviève prit le chien par le collet, tandis qu'un des policiers arrivait à toute allure.

— Je suis désolé, madame, ça lui arrive encore, malgré sa médication, d'avoir des comportements imprévisibles.

Comment ce chien pouvait-il encore les suivre lors d'opérations aussi critiques?

Le policier partit aussitôt avec Chorizo, qui avait la mine basse. L'état de France Tremblay ne l'émouvait pas outre mesure.

— Docteure Thu est-elle dans le complexe? demanda Geneviève à Jose Jesus, le gardien de sécurité.

Après vérifications, il s'avéra que la médecin était toujours dans les parages. Elle fut appelée sur les lieux de l'incident. Entre-temps, Geneviève avait aperçu au loin Federico del Prado, en grande conversation avec l'un des policiers, le chef sans doute. Depuis quand était-il au courant de cette opération? Et il l'avait laissée délirer sur un attentat anti-dauphins pendant tout ce temps?

— Montrez-moi ça, dit docteure Thu, en se penchant sur le postérieur du Saguenéen.

Il avait été transféré dans le bureau de premiers soins.

— La morsure est profonde... Ça ne nécessite pas de points de suture, mais vous allez devoir aller à l'hôpital faire faire des vaccins. Peut-être ce chien avait-il la rage?

— Non, c'est Chorizo, répliqua Geneviève.

— Chorizo?

Geneviève réalisa que seuls les habitués de l'aéroport connaissaient bien le berger allemand de la police de Bavaro.

— Un bon chien... Mais il a des problèmes neurologiques. Il est soigné pour ça, mais visiblement, sa médication n'est pas ajustée...

— La rage cause des problèmes neurologiques, Geneviève! Ton client doit aller à l'hôpital faire les tests, pas le choix. Mais dis-moi, tu as pris du *speed* ou quoi?

demanda la médecin, en souriant. Tu as les yeux exorbités, tu trembles, et tu passes ta langue sur les lèvres de manière compulsive... Je me trompe?

— Je suis en état de choc, docteure Thu! Et j'ai été assommée!

Elle n'avait pas envie de parler du Ritalin, dont les effets ne semblaient toujours pas s'estomper.

— Parlant d'état de choc... Mon Dieu qu'il y a parfois des clients bizarres, dit docteure Thu, sur le ton de la confidence. Je viens de terminer avec un client d'Olessia, un Russe, qui n'avait plus de dose d'anxiolytique et qui était en pleine crise d'angoisse. Le pauvre...

Docteure Thu partit dans un fou rire, ce qui était rarissime.

— ... Il... il ne peut pas tirer la chasse d'eau...

Son fou rire reprit, et cette fois, elle ne pouvait plus s'arrêter. France Tremblay la regardait, surpris. Geneviève lui fit signe que ça ne le concernait pas. Elle lui dit d'aller se chercher un bermuda intact, car ils devaient se rendre, par précaution, au Hospiten Bavaro.

Docteure Thu avait entre-temps repris son sang-froid.

— Pauvre homme... Olessia me dit qu'il a des poussées de colère incontrôlables. Inquiétant, quand même. Je souhaite que la médication que je lui ai donnée fasse effet.

Lorsque Geneviève revint de l'hôpital, il faisait déjà nuit. Elle rejoint son père et Desneiges à la terrasse du buffet, où ils étaient en pleine partie de cartes. Sa belle-mère avait une tout autre allure qu'au petit matin. Elle portait une robe ample et colorée qui lui arrivait jusqu'aux chevilles, ses cheveux étaient soigneusement coiffés, et elle avait bonne mine. Elle semblait d'excellente humeur.

— Bonjour Geneviève ! lui dit-elle, en lui faisant un clin d'œil.

Geneviève s'assit avec le petit groupe. Elle était épuisée. L'effet du Ritalin s'était dissipé quelque part au Hospiten Bavaro, alors que France et elle attendaient de voir le médecin.

Celui-ci lui fit différentes injections préventives, et voulut immédiatement commencer un long et fastidieux traitement anti-rage, qui pouvait durer des semaines. Mais Geneviève s'opposa.

— Ce n'est pas un chien errant qui lui a fait ça, c'est Chorizo, propriété de la police de Bavaro. C'est un chien qui a un suivi médical très serré, en raison de problèmes neurologiques et dépressifs, alors je suis certaine qu'il a reçu ses vaccins anti-rage.

Il fallut contacter la clinique vétérinaire Los Perros Locos, où Chorizo se faisait suivre, et attendre la réception de son dossier médical, par télécopieur, pour que le médecin accepte de donner son congé à France Tremblay.

Mais avant cela, le docteur Fernandez Smith passa à travers le volumineux dossier avec un mélange de surprise et de fascination. Chorizo Lopez Gomez (c'était son nom officiel, sans doute celui de ses maîtres officiels à la police), avait été méticuleusement ausculté. Tous les résultats d'analyse y étaient, de même que de nombreuses photos de l'animal dans différentes positions, dont l'une où on tenait ses jambes arrières en hauteur. Il avait été testé pour différentes pathologies, dont la psychose canine, avant qu'on arrive à ce diagnostic que connaissaient déjà Geneviève et tous les agents qui fréquentaient l'aéroport : stress et état dépressif, dû à une épilepsie asymptomatique. Le vétérinaire suggérait aussi que le chien avait sans doute été séparé trop tôt de sa maman, une information que n'avait pas Geneviève. Elle en eut le cœur brisé.

S'ensuivait la liste de médicaments suggérés pour tempérer l'humeur de l'animal.

— J'en reviens pas, disait le docteur Fernandez Smith, on dirait le dossier médical d'un vrai patient, je veux dire d'un être humain. Je ne savais pas que mes confrères vétérinaires allaient si loin. Je croyais qu'ils se contentaient de soigner des vaches grippées ou des chevilles brisées de chevaux de ferme. Des animaux utiles, quoi... Est-ce qu'ils font ça avec des chats aussi? demanda-t-il, en riant. «État dépressif dû à une épilepsie asymptomatique.» Ha! Ha! Ha!

Geneviève et France Tremblay le laissèrent à sa crise d'hilarité, et rentrèrent au Princess Azul. Dans le taxi, Geneviève jetait des regards à la dérobée à son client. Celui-ci ne bronchait pas. Pas une plainte, pas une remarque sur ce qui venait d'arriver. Comme si tout ça était normal, les araignées, l'incinération de ses effets personnels, la noyade, la morsure de chien... France connaissait un séjour infernal à Punta Cana, mais il ne semblait pas s'en indigner outre mesure, ni s'en étonner. Cela rappela à Geneviève une comédie de Claude Zidi, *La chèvre*, où Pierre Richard interprète un type frappé par la malchance dès sa naissance. Le film était désopilant. Mais la situation de France Tremblay ne l'était pas, se dit Geneviève, empathique.

Elle le laissa à sa chambre, où il dit qu'il allait prendre une douche et se coucher. Elle rejoignit sa famille, à la terrasse du buffet.

Signe qu'elle était tout à fait remise, Desneiges avait recommencé à filmer tous les plats sur la table, commentant chacun d'entre eux. Certains recevaient des verdicts sévères («ça goûte la morue trop salée de mon enfance à Percé, mais c'est du poulet!»), d'autres enchantaient l'ex-tenancière de La Gaspésienne chantante.

Elle prit Geneviève à part.

— Tout est en place pour mon repas de demain soir, pour l'anniversaire de ton père. On a vérifié, avec deux cuisiniers, et ils ont tous les ingrédients pour ma bouillabaisse gaspésienne. Et je ne sais pas ce qui est arrivé avec l'affreux chef Bolufer, mais il m'a offert de préparer l'entrée pour le groupe. Il va faire des champignons à la sauce moutarde et épices de la République dominicaine. Je crois qu'il a fini par comprendre qu'en tant que cuisinière d'expérience, je ne voulais pas lui nuire, mais l'aider !

— Très étonnant, en effet, lui répondit Geneviève en bâillant.

— Tu as mauvaise mine, ma belle fille. On dirait qu'un camion t'est passé dessus. Pourtant, tu avais l'air si exaltée cet après-midi, c'était beau à voir !

Geneviève ne crut pas utile de lui raconter l'épisode Ritalin. La médication ne lui allait pas, c'était indéniable. Il lui faudrait accepter la réalité : elle ne souffrait pas d'un trouble de déficit de l'attention. Le Ritalin l'avait surexcitée. Elle avait déjà lu que ce phénomène s'observait chez les gens qui consommaient ce médicament sans souffrir de TDAH, ce qui exacerbait leur concentration et leur énergie. Les étudiants en médecine, avant leurs examens, en étaient friands, semblait-t-il.

Elle allait partir lorsqu'Olessia se pointa, visiblement préoccupée. Elle alla directement embrasser Marcel, ce que Geneviève trouva curieux, mais bon, peut-être était-ce une tradition slave d'honorer ainsi les parents de ses collègues ? Son père la serra chaleureusement dans ses bras.

— Je suis inquiète pour mon client, Seraphim Pavlov, dit-elle à Geneviève. Il fait des colères, à cause de cette cuvette de toilette ! Il faut dire que le système installé par les gars de l'entretien marche mal, je ne peux pas le blâmer... Mais quel caractère! Même pour un Russe, c'est au-dessus des normes.

Olessia avait fait une petite recherche sur Internet et constaté que les frasques de Seraphim Pavlov étaient nombreuses. Il avait déjà démoli du mobilier d'hôtel, jeté des chaises à la tête de serveurs dans des bars moscovites pourtant branchés, et même brisé un lave-vaisselle dans un restaurant grec de Saint-Pétersbourg. Il n'acceptait pas la contrariété.

— Docteure Thu lui a donné des calmants, j'espère que ça fera effet... Il me bouffe tout mon temps. J'ai des clients serbes dont la vieille mère a été empoisonnée par une raie qu'elle a bouffée en ville, et c'est à peine si j'ai pu leur porter secours.

— Est-ce que tu sais si ces explosions de colère viennent d'avant, ou d'après son... accident?

— Je l'ignore.

— Il a probablement une colère refoulée qui s'exprime maladroitement. Il devrait vraiment consulter. Moi aussi, d'ailleurs. Pour fabulation...

Geneviève lui raconta sa journée mouvementée. Olessia poussa un cri.

— C'était ton client? J'ai entendu parler de ça tout à l'heure, la police a procédé à l'arrestation d'un fraudeur international. Un beau coup de filet, apparemment.

— Et moi qui ai pensé qu'un autre de mes clients était un écoterroriste... Mon Dieu, qu'est-ce que Federico del Prado a dû penser de moi? Il était au courant de toute l'opération, et il m'a laissée raconter ces niaiseries... Je lui ai montré des extraits du dauphin Flipper, des photos de Bob Morane... Il est temps que j'aille me coucher, Olessia, la journée a été longue.

Geneviève embrassa son père et sa belle-mère, prit congé de tout le monde, bien décidée à aller au lit de bonne heure, après un bain bien mérité.

En passant devant le bar de l'hôtel, elle entendit quelqu'un l'appeler. Elle faillit avoir une attaque lorsqu'elle reconnut Morane/Gaillard qui lui faisait de grands signes avec ses bras.

Comment pouvait-il encore vouloir lui adresser la parole après ce qu'elle avait fait dans la journée? Elle se revoyait en train de lui chanter *Aimer à perdre la raison*, enclencher par erreur sur son *iPhone* «Viens là! Viens là!», lui poser des questions débiles sur les dauphins puis, couchée sur un policier dominicain, lui arracher les cheveux et l'empoigner par le menton.

Elle lui fit un petit signe de la main, embarrassée, et décidée à poursuivre son chemin, lorsqu'il se leva pour aller la rejoindre.

— Geneviève, je vous dois des explications. Venez, je vous offre un verre.

Elle hésita, puis se dit qu'elle aussi avait des explications à donner à ce client qui l'avait tant contrariée.

— Vin rouge? Blanc? *Drink*?

Lui-même buvait une bière Presidente.

— Un bon verre de rouge, s'il vous plaît, monsieur...?

Elle le regarda, l'air interrogateur.

— Aimé... Aimé Gaillard. Père français, et mère originale, répondit-il. Et j'ignore toujours comment vous l'avez su. À moins que la chansonnette avait un autre but?

Il fit un large sourire, franc, spontané, ce que n'avait pas vu Geneviève durant cette semaine. Elle sourit à son tour, tandis qu'il alla lui chercher un verre au bar.

— Je suis policier au Service de Police de la Ville de Montréal, dit-il en s'assoyant. Enquêteur aux crimes économiques. On avait ce type, David Simard, à l'œil depuis un bout. Mais il était comme une couleuvre, il nous échappait tout le temps.

Grand spécialiste du blanchiment d'argent pour le compte de trafiquants de drogue et d'entrepreneurs en construction, Simard planifiait un gros coup lors de ce séjour en République dominicaine. Son excursion à Saint-Domingue, où il avait feint un problème intestinal pour aller dormir dans le bus, avait servi à opérer un important transfert de fonds. Aimé Gaillard l'avait suivi, et filmé alors qu'il rencontrait des membres de la mafia locale.

— Mais pourquoi l'arrêter au Princess Azul?

— On a su qu'il ne reprendrait pas l'avion pour Montréal. Il se sentait traqué et il allait se pousser à Antigua.

— Vous aviez prévenu la direction de l'hôtel?

— Bien sûr… Monsieur del Prado était au courant, il avait été averti par Interpol.

— Et la femme? Sa nouvelle femme? Elle avait l'air d'une vacancière si… authentique…

— Franchement, on ignore ce qu'elle sait ou ne sait pas. Je l'ai interrogé, mais ça n'a pas donné grand-chose. Simard l'a probablement amenée pour ne pas éveiller de soupçons.

— Eh bien! Aimé, vous auriez dû faire la même chose, « apporter » une fiancée, vous auriez eu l'air moins louche.

— Il aurait fallu pour ça que j'aie une fiancée…

Geneviève se surprit à noter cette information avec satisfaction.

—Je peux te demander Geneviève... On se tutoie, n'est-ce pas? Je peux te demander c'est quoi cette histoire de dauphins?

Il riait et Geneviève ne put s'empêcher d'en faire autant. La fatigue aidant, cela se transforma en fou rire.

—Un vrai délire... J'ai complètement dérapé. Il y a quelques mois, on avait reçu un courriel de la sécurité de l'hôtel concernant une menace terroriste au Manatí Park. Des écolos voulaient faire libérer des dauphins. Ils jugent qu'ils sont exploités et ils veulent les remettre à la mer. Et toi... Tu étais tellement bizarre, je t'ai surpris caché dans des buissons, tu te souviens? Et tes t-shirts de dauphins...

—Ha ha! Cadeaux de ma fille. Vendeuse au département de t-shirts pour hommes, chez Simons. J'en ai de tous les motifs.

Geneviève se souvint de la quantité industrielle de t-shirts dans la valise du policier, mais elle n'en dit évidemment mot.

—En tout cas, ça a *spinné* dans ma tête, poursuivit-elle, et j'ai fini par me convaincre que tu étais un dangereux écoterroriste. En plus, tu étais tellement bête...

—J'avoue. Mais toi, tu étais... contrariante. Je te voyais m'observer, me faire des remarques, et je voulais rester le plus *low profile* possible. N'éveiller aucun soupçon chez Simard. Ça ne paraissait pas, mais il était tout le temps à l'affût, crois-moi.

—Tu as dû me prendre pour une vraie folle aujourd'hui.

Il rit.

—Effectivement, tu as dépassé mes attentes! Je ne m'attendais pas à ce que tu me confrontes comme ça. Et tes chansons!

Il rit à nouveau.

Geneviève ne lui parla pas de Jacinthe Bisson ni de synergologie, mais elle lui dit qu'elle avait tenté une petite « expérimentation » qui avait mal tournée…

— Du Ritalin ?

Aimé Gaillard semblait incrédule.

— Tu as pris du Ritalin ? J'imagine que c'est le genre de truc qu'expérimente une psy… ou une ancienne psy.

Silence gêné. Geneviève ne savait trop comment réagir. Mais le policier enchaîna.

— Oui, bon, j'ai fait ma petite enquête sur toi. Je me demandais qui était cette jolie brune, aux ongles d'orteil peints en vert avec des étoiles, qui épie ses clients, même lorsqu'elle se trouve à califourchon sur un vieux scooter ? Et puis j'ai trouvé cette info. On a accès à tout, comme enquêteur. Désolé, je n'ai pas pu me retenir.

Geneviève se demandait si elle devait lui parler de sa visite dans sa chambre, le matin même, et de la fouille de sa valise, puis ajouter : « Désolée, je n'ai pas pu me retenir ! », mais elle se ravisa. Mieux valait conserver cette information, très gênante au demeurant, secrète.

— C'est pas grave, Aimé, c'est public.

Elle commençait à apprécier ce prénom inusité.

— Si j'avais été psy, j'aurais fait la même chose, perdre patience contre un client. Juste les interrogatoires, parfois, tu veux leur arracher la tête. Tu me raconteras ce qui est arrivé, un de ces quatre…

— Bien sûr, répondit Geneviève en souriant.

Elle était ravie qu'il y ait un « un de ces quatre » en vue… En attendant, elle l'invita à la célébration du quatre-vingtième de son père, le lendemain en fin de journée, s'il n'avait pas autre chose à faire.

— Le repas sera délicieux, c'est mon ex-belle-mère qui cuisine!

Puis, avant de partir, elle lui lança:

— En passant, très ingénieux, ce nom d'emprunt, William Morane. Ça m'a ramenée trente-cinq ans en arrière. Qui préférais-tu? demanda-t-elle en pouffant de rire. Bob Morane ou Bill Ballantine?

Aimé Gaillard rougit.

Au moment où elle grimpait les escaliers qui menaient à son studio, elle entendit son nom.

— Geneviève? Pas encore, se dit-elle en se retournant.

C'était Jacinthe Bisson.

— J'ai appris pour cette spectaculaire arrestation, dit la femme en s'approchant. Et j'ai appris par d'autres vacanciers que c'était le gars nouvellement marié? Et qu'un autre client était, en fait, une police?

Geneviève acquiesça.

— Oui, le gars que j'ai pris pour un terroriste...

— Tu sais, il y a quelque chose que j'aurais dû te dire, hier, quand je l'observais. J'ai parlé de chef de gang, d'ex-prisonnier... Mais en fait, j'aurais pu, et j'aurais dû, te dire que toute cette gestuelle s'appliquait aussi parfaitement à un policier...

Vendredi

Geneviève se réveilla plus tôt qu'elle ne l'aurait souhaité. Les effets tardifs du Ritalin l'avaient empêchée de s'endormir rapidement, la veille. Ou était-ce cette conversation suave, et somme toute, agréable, avec Aimé Gaillard?

Elle était décidée à participer au cours de *Strech'n Danse & Saltos II*, qui se donnait à côté de la piscine, à sept heures trente. Un peu d'exercice lui ferait le plus grand bien, après la journée éprouvante de la veille.

Elle répondit au courriel de sa tante Monique, qui prenait des nouvelles de Marcel. «Tu lui souhaiteras un très joyeux anniversaire!» avait-elle écrit.

Quatre-vingts ans! Son père avait quatre-vingts ans aujourd'hui.

Elle avait acheté une carte au Palma Real Shopping Village, représentant une rose géante dont la tige se faisait grignoter par une girafe chaussée de talons hauts. Elle n'avait rien trouvé de mieux. Elle avait écrit à l'intérieur une citation de Paul Léautaud trouvée sur Internet: «Ce qui est difficile, c'est de devenir octogénaire; après, il n'y a plus qu'à se laisser vivre.»

Mignon.

Son frère Luc était déjà connecté sur Facebook. «Souhaite à papa un joyeux anniversaire, de la part de toute la famille. On l'amènera manger chez Saint-Hubert à son retour.»

Geneviève mit ses vêtements de sport – un short et un t-shirt assorti – et se rendit d'abord prendre un déjeuner rapide au buffet, puis directement à son cours. Elle y croisa Jacinthe Bisson et quelques-unes de ses collègues synergologues. Automatiquement, Geneviève se mit à scruter chacun de ses mouvements, comme si elle allait subir une analyse corporelle en règle qui allait déboucher sur des constats déplaisants sur l'état de ses névroses. C'était franchement déconcertant dans ce cours, où tous les mouvements étaient saugrenus, ou à tout le moins non naturels.

Après ce cours raté, elle fila prendre une douche et alla directement à son bureau.

Le bac de recyclage, rempli à ras bord de dossiers dont elle ne pouvait se débarrasser avant encore plusieurs mois, lui rappela ses folies de la veille et les effets non désirés du Ritalin. «Bordel! se dit-elle, ce n'est vraiment pas la journée pour ranger tout ça. Ça ira à dimanche, quand papa sera parti.»

Elle faillit envoyer un courriel à Pierre Sansregret pour l'aviser du résultat désastreux du Ritalin, mais se ravisa. Le gastroentérologue ne lui avait pas répondu après son courriel «mise au point» et valait mieux le laisser digérer ce qui ressemblait à une déception amoureuse.

Elle reçut un appel de la réception l'avisant qu'un groupe de jeunes hommes, des clients à elle, avaient chahuté bruyamment à trois heures du matin dans l'Allée des palmiers royaux.

Il s'agissait d'ados, en fait, des dix-huit, dix-neuf ans, de Laval, venus passer une semaine au Princess Azul, dans Dieu sait quelles circonstances, vu le prix rarement soldé de l'hôtel. Geneviève leur avait donné toute une série de recommandations «maternelles» sur la bonne conduite à adopter dans ce lieu, mais en vain. Ils étaient sur le *party*, et elle en avait eu des échos presque chaque matin. Vivement leur retour au Québec. Au moins, ils n'avaient pas été arrêtés dans un bar de Bavaro ou pire, de Higüey, comme cela arrivait parfois avec ses jeunes clients. Les policiers faisaient parfois de petites descentes «surprises» et trouvaient toutes sortes d'excuses pour réclamer un petit «pourboire» aux jeunes, faute de quoi ils les embarquaient pour un séjour humiliant au poste.

À dix heures, elle s'éclipsa du bureau pour se rendre à la piscine, sachant qu'elle y trouverait le héros de la journée.

Elle fut surprise d'y voir Alberto, le faux Taïno gréviste de la faim, qui y avait déménagé ses pénates, sans doute en quête d'une meilleure visibilité.

Il ne semblait pas avoir perdu un seul kilo depuis la dizaine de jours que durait sa disette.

— Il va finir par se faire jeter dehors du Princess Azul, lui dit Ernesto, qui était en train de sortir le matériel pour le cours de plongée en apnée.

Il remplaçait ce jour-là Gonzo Resurrección, en congé le vendredi. Geneviève avait reçu le matin même, de Sabrina Peres, un rapport détaillé de la «crise médiatique» engendrée par la déclaration d'amour de Chrystal-Lyne. Une multitude de photos de Gonzo circulaient sur les médias sociaux, la plupart prises à la piscine par des vacanciers québécois. Des clichés du blond dominicain apparaissaient dans plusieurs quotidiens et sites Web. Certains commentaires des internautes étaient désobligeants («Comment ce faux blond teindu [*sic*] et testostéroné [re-*sic*] a-t-il pu séduire Chrystal-Lyne?») et d'autres, admiratifs. Sabrina n'était pas de l'école du «Parlez-en en bien, parlez-en en mal, mais parlez-en!» Elle doutait des retombées positives de tout cela pour l'hôtel Princess Azul de Punta Cana.

— Joyeux anniversaire, Papa!

Geneviève alla serrer son père dans ses bras. Tout le petit groupe avec qui il avait déjà entamé sa première partie de cartes de la journée, les triplettes, César, quelques autres membres du troisième âge que Geneviève ne connaissait pas, et bien sûr, Desneiges, en fit autant.

— Vous êtes bien sûr tous invités, commença-t-elle, à déguster ma bouillabaisse gaspésienne ce soir! Je suis autorisée dans les cuisines pour quelques heures! César, tu es toujours d'accord pour venir me filmer pendant les préparations?

— Bien sûr, ma belle!

Elle était resplendissante, se dit Geneviève, admirative. Aucune trace de sa journée et nuit folles. À soixante dix-huit ans, elle se saoulait dans des bouis-bouis dominicains, son jeep tombait dans une rivière, elle marchait des kilomètres dans la forêt tropicale, se faisait ramasser par un camionneur, et pfff, elle semblait sortir d'une journée de massothérapie et luminothérapie au Spa Eastman.

— Desneiges, tu ne peux pas amener de chat, ni même de chaton, aux cuisines. Ça rendra fou Pep Bolufer! Ménage-le.

Sa belle-mère avait un des chats du Clan Corleone dans les bras. Un roux, bien sûr, qui ronronnait bruyamment. Il avait les yeux encroûtés et Desneiges s'affairait à les nettoyer.

— Ne t'inquiète pas. Maintenant qu'on est en bons termes, Lucifer et moi, je ne vais pas tenter le diable...

— Bon, papa, je passe te prendre à midi, on ira à ta chambre pour voir ce que tu porteras ce soir. Ça te va?

Marcel opina de la tête.

— Oui ma fille.

Tout semblait sous contrôle pour cette soirée mémorable, se dit Geneviève.

Il fallait régler la paperasse concernant le couple David Simard-Annie Dion. Celle-ci avait pu regagner l'hôtel. Sa complicité dans toute l'affaire s'était limitée à jouer le rôle de la jeune mariée. Les procédures allaient être autrement plus compliquées avec David Simard, lui avait expliqué le matin même Aimé Gaillard.

Il était passé au bureau de Tour Exotica vers neuf heures. Sa journée allait se passer au poste de police de Bavaro et elle allait être longue, dit-il à Geneviève. Celle-ci l'invita à nouveau – avec trop d'empressement, se dit-elle par la suite – à venir déguster la bouillabaisse gaspésienne que sa belle-mère préparait en l'honneur des quatre-vingts ans de son père.

Il accepta gentiment l'invitation. Geneviève se demandait depuis quelle tenue elle allait porter. Sylvia pourrait sans doute l'aider.

Quand elle passa au bureau de sa collègue anglaise, Geneviève la trouva dans un sale état. Contrairement à Desneiges, elle ne semblait pas encore tout à fait remise de sa nuit blanche à courir la campagne dominicaine.

— J'ai besoin que tu m'aides, Sylvia. C'est l'anniversaire de papa, ce soir, je dois m'habiller!

Sa collègue réfléchit un moment pour lui suggérer de porter cette robe portefeuille qu'elle lui avait fait acheter deux mois auparavant, lors des soldes d'après-Noël.

— Tu sais, celle qui est orange brûlée. Elle t'allait à merveille. Mais je ne t'ai jamais vu la porter.

— J'ai pas eu beaucoup d'occasions… Elle est, comment dire, un peu chic.

— Eh! bien, ça sera l'occasion ce soir, justement.

Son téléphone sonna. Geneviève prit congé.

À midi, Geneviève passa prendre son père à la piscine. Il était en grande conversation avec les triplettes au sujet des origines de la famille Cabana, ainsi que celles des O'Reilly, le nom de famille de sa mère. Marcel avait développé, depuis un an, une passion pour la généalogie. Cela le changeait de tout ce qui avait rapport à la quincaillerie, et Geneviève trouvait cela très sain. Même s'il semblait en faire parfois une légère obsession, lui avait écrit son frère Luc.

Ils avaient ainsi appris que leur ancêtre était en fait un Charron dit LaRose, et que «Cabanac» était son surnom, hérité de son appartenance à une marine Cabanac. Cette information avait grandement déçu Geneviève, qui avait toujours secrètement souhaité avoir des racines italiennes.

Autre déception: les racines de mot Cabana, qui venait du latin *capanna*, évoquaient des ancêtres, disons, modestes. C'était le surnom donné «à celui qui habite une cabane, habituellement un abri érigé près des pâturages où broute le bétail».

Marcel terminait de raconter aux triplettes comment son ancêtre avait accompagné Lamothe Cadillac lors d'une expédition à Détroit. Elle l'arracha à son fauteuil, et ils allèrent tous deux à la chambre de Marcel. Depuis son arrivée au Princess Azul, Geneviève avait jugé adéquates ses tenues vestimentaires. Mais elle voulait s'assurer qu'il lui restait du linge propre pour cette grande soirée, qui serait sans doute immortalisée sur de nombreuses photos et vidéos.

En ouvrant la porte, Geneviève fut ravie de voir la chambre bien rangée. Bien sûr, contrairement à son studio du Crépuscule bienveillant, il n'avait pas toutes ses collections d'outils, de vis et de clous qu'il conservait près de lui comme des talismans.

— Bon, on va regarder ce que tu vas porter ce soir, papa.

Mais au moment où elle allait ouvrir le garde-robe, son regard fut attiré par un objet qui trônait sur la commode. C'était un vase très coloré. Il mettait en vedette le personnage de Mickey Mouse. Geneviève avait vu ce vase auparavant. Sur une photo. C'était celui que les triplettes de Blainville avaient perdu. Celui où elles avaient mis les cendres de leur mère centenaire.

Marcel Cabana n'avait jamais vu sa fille dans un pareil état. Il la connaissait pourtant depuis quarante-huit ans. Et il avait assisté à plus d'un chagrin ou une crise de larmes. Chez le dentiste, d'abord, qu'elle avait en horreur. Puis, quand sa mère était partie, même si elle ne le laissait pas trop savoir. C'est lui qui l'avait consolée, lorsque son premier petit copain, un boutonneux rachitique, l'avait quittée pour la petite Labonté, une voisine en plus.

Sa fille avait un caractère prompt, décidé, tout le contraire de son frère Luc, qui hésitait toujours avant de prendre une décision. Elle avait aussi une propension à la légèreté, comme sa mère, Claire. Elle était radieuse lorsqu'elle avait appris qu'elle attendait des jumeaux, à vingt-six ans, alors qu'elle commençait tout juste sa pratique, et avec pour fiancé un artiste qui promettait déjà une carrière des plus ratées. Elle voyait toujours le bon côté des choses, sa belle Geneviève.

Mais là, il n'arrivait pas à décoder sa fille chérie.

Son explosion de larmes avait commencé après qu'il lui eu montré le cadeau acheté pour la petite Sarah-Maude, la veille, au marché d'artisanat. Était-elle contrariée parce qu'il ne s'agissait pas d'artisanat local? Il lisait beaucoup là-dessus dans les journaux, et savait que c'était important pour la jeune génération. Mais de là à se mettre dans un pareil état? À pleurer? À crier?

C'étaient les propos de sa fille qui étaient les plus troublants. Elle parlait de «mère de triplettes», elle répétait que «la mère des triplettes» était dans ce vase, et qu'il «avait jeté la mère des triplettes». Il crut sincèrement que sa Geneviève perdait l'esprit. Déjà, la veille, elle était bizarre. Étaient-ce les pilules que lui avait données le petit Michel? Si oui, il fallait qu'elle cesse cette médication sur-le-champ.

Puis, il pensa à la ménopause. Claire était partie avec son Inuit avant d'entrer dans cette zone trouble de la vie d'une femme. Mais il avait entendu des histoires pas possibles sur les effets effrayants que ce changement hormonal provoquait. Des femmes sensées qui, soudain, devenaient folles furieuses, imprévisibles, colériques et irrationnelles. Il avait eu la chance, dans sa vie d'homme, de connaître des femmes avant, ou après leur ménopause. Jamais pendant.

Ou bien était-ce cette île?

Marcel n'avait jamais été d'accord avec le choix de sa fille de quitter le Québec pour une île tropicale. Pourtant, depuis quelques jours, il avait cru qu'elle y était heureuse. Il avait été agréablement surpris par l'endroit.

Il trouvait sa fille épanouie, notamment dans ses choix vestimentaires. Il ne l'avait jamais vue habillée avec tant de couleurs vives! Ça lui allait très bien. Ça faisait trente ans qu'elle ne portait que du noir ou du gris.

Mais ce genre de paradis tropical, avec sa chaleur et son humidité extrêmes, pouvait aussi rendre fou, il avait déjà lu ça quelque part.

— Où sont les cendres, papa? Où sont les cendres? répétait sa fille en secouant le vase de Mickey Mouse, et en pleurant comme une Madeleine.

Au moment où elle l'enlaçait tendrement en lui répétant qu'elle allait l'aider, que sa maladie se soignait, et qu'elle lui trouverait le meilleur psychologue à Montréal, et les meilleurs soins, son ami César fit son entrée dans leur chambre. Et Marcel dut convenir qu'il avait bien honte de cette effusion familiale inappropriée.

— Mon Dieu! Excusez-moi, je vais revenir!

L'accent chantant de César fit retourner Geneviève, qui tenait toujours son père enlacé fermement, comme s'il allait s'envoler.

— Tu ne nous déranges pas César, entre donc.

Marcel souhaitait que la présence d'un étranger ramène sa fille à de meilleurs sentiments. Celle-ci sembla effectivement se ressaisir. Elle s'essuya les yeux.

— Désolée, monsieur... César, n'est-ce pas? Je... nous devons régler une petite affaire de famille. C'est sans gravité.

Là-dessus, les pleurs de Geneviève redoublèrent.

— Y'a un souci? Tu n'es pas malade, Marcel? demanda César, inquiet.

— Non, pas moi...

Il faisait un signe à César que le problème venait de sa fille, qui était toujours en larmes.

— Je lui ai montré ce vase, et depuis, elle pleure!

— Ha! Ha! Marcel! Je te l'avais dit qu'il était horrible! Comment tu peux acheter un vase de Mickey Mouse dans un marché en République dominicaine? Je te l'avais bien dit!

Geneviève se retourna vivement. Ses sanglots s'atténuèrent.

— César, qu'est-ce que vous racontez? demanda-t-elle d'une voix rauque. Papa n'a pas acheté ce vase dans un marché? Il a été volé, ce vase, dans la chambre des triplettes de Blainville. Et il contenait les cendres de leur mère centenaire.

— Mais qui sont les triplettes de Blainville, ma fille? Ça fait dix minutes que tu en parles...

Geneviève réalisa qu'elle s'était construit ce nom dans sa tête, mais qu'il n'existait, justement, que dans sa tête.

— Les sœurs Parenteau, pardon. Arlette, Cécile et Pauline.

— Elles ont perdu les cendres de leur mère? demanda Marcel.

— César, vous avez acheté ce vase hier avec mon père, au marché?

— Bien sûr ma belle! Mais je lui avais dit que c'était pas une bonne idée. Un vase de Mickey à Punta Cana. En plus, il l'a payé cher, la canaille!

César partit d'un grand éclat de rire.

— Ma petite-fille de dix ans aime ça, Disney. Je vais quand même pas lui acheter de la poterie mexicaine!

— Dominicaine, papa. De la poterie dominicaine.

Geneviève était abasourdie. S'était-elle, une fois de plus cette semaine, laissée berner par ce qu'elle croyait être la réalité? Et une réalité qui s'avérait loin, très loin de ce qu'elle s'imaginait?

Si oui, il lui faudrait réparer les pots cassés avec son père.

Ils s'étaient assis sur la terrasse, qui avait vue sur la mer des Caraïbes. Geneviève avait préparé deux thés plutôt insipides, à partir de la petite cafetière qui était dans toutes les chambres du Princess Azul.

— Papa, je suis désolée pour ma réaction... J'ai cru que tu avais fait une rechute...

— Une rechute de quoi, ma fille?

— Bien, tu sais, quand tu as perdu ton dentier à la résidence... Tu avais pris celle d'une vieille, en pleine nuit. Et la télé de l'autre locataire. Mais ça s'était arrangé, n'est-ce pas?

— Ben non, je n'ai jamais retrouvé mon dentier. Personne ne me croit qu'il a été dissous dans le liquide nettoyant. À tout événement, j'achète maintenant une autre marque, et je n'ai pas de problèmes depuis.

Geneviève ne précisa pas qu'elle ne parlait plus du dentier disparu, mais de cette manie d'aller chercher dans les chambres des autres pensionnaires ce dont il avait besoin. Depuis cette série d'incidents, la direction de l'établissement ne l'avait pas contactée. Tout était donc rentré dans l'ordre.

— Ma fille, qu'est-ce que tu croyais exactement?

Geneviève déglutit.

— Je... je ne sais pas trop, répondit-elle, très mal à l'aise.

Elle ne voulait pas avouer à son père qu'elle avait cru, l'espace d'un horrible instant, qu'il avait dérobé ce vase aux triplettes. Pas le jour de son anniversaire.

— J'ai eu de la peine pour les sœurs Parenteau, c'est tout. C'est trop triste, papa. Quelqu'un leur a volé cette urne funéraire, où il y avait les cendres de leur mère, et il l'a vendue à un marchand, qui l'a ensuite revendue au marché d'artisanat. C'est horrible, non? En plus, le vase avait été nettoyé…

— Oui, c'est horrible, ma fille, mais c'est pas une raison pour prendre ça aussi dramatiquement. Tu ne t'es pas vue, ça faisait peur. Dis-moi, est-ce que tu ne serais pas en train de nous commencer une petite ménopause? demanda-t-il en lui faisant un clin d'œil entendu.

Cette allusion fit l'effet d'un électrochoc sur Geneviève. Non, ça n'était pas la ménopause. Non, elle n'avait pas encore de bouffées de chaleur, de crises d'insomnie, de sautes d'humeur extrêmes et d'autres horreurs que lui avait racontées Sylvia. Eh oui, elle n'avait pas eu le temps de demander à sa propre mère à quel âge avait débuté sa ménopause, ce qui aurait été un bon indice du début de la sienne. Mais elle trouvait cette raison tout à fait valable pour expliquer la scène disgracieuse qu'elle venait de faire à son père. Le jour de son quatre-vingtième anniversaire.

— Ça doit être ça, papa. La ménopause. Tu sais, ça cause des réactions bien bizarres. Je suis désolée. On oublie tout ça, OK?

Il fut convenu d'aller voir les triplettes pour leur remettre le vase et leur expliquer les circonstances de son retour. Marcel était contrarié, non seulement parce que l'achat lui avait coûté cher, mais surtout parce qu'il n'avait plus de souvenir pour la petite Sarah-Maude. Tout cela était fort choquant.

Ils trouvèrent les triplettes étendues sur des chaises longues, à la piscine. C'est Arlette qui, la première, vit le vase. Son cri ameuta ses deux sœurs. Mais leur joie fut de courte durée lorsqu'elles apprirent que les cendres de leur mère ne se trouvaient plus à l'intérieur. Cécile éclata de nouveau en sanglots.

— Décidément, je fais pleurer les femmes aujourd'hui, dit Marcel, en regardant sa fille d'un air désolé.

— Tu n'y es pour rien papa. C'est l'idiot qui a volé, puis nettoyé ce vase, qui est responsable de tout ça.

— Je ne sais pas trop ce qu'on va faire avec l'urne, maintenant que maman n'est plus dedans, dit Pauline, toujours la plus pragmatique des trois.

— Peut-être qu'on peut trouver des traces ? dit Marcel en passant un doigt à l'intérieur.

Mais il était immaculé. Tout avait bien été nettoyé.

— C'est choquant... Tellement choquant, répétait Cécile entre deux pleurs.

— Maman n'y est plus, mais elle y a été, répondit Arlette. On peut peut-être l'enterrer ici, ce vase.

— Ou le broyer en mille morceaux, comme s'il s'agissait de cendres, répondit Pauline, ce qui provoqua un drôle de son dans la bouche de Cécile, comme si elle était en train de s'étouffer.

— Pensez-y, leur dit Geneviève. Il y a toujours Padre Esteban, qui peut passer demain, si vous le souhaitez, pour faire une petite cérémonie.

À seize heures, un appel l'avertit que la piñata de la boutique *Loco Party Lococo* venait d'être livrée et conduite sur le lieu de la fête, sur la terrasse qui jouxtait le restaurant. C'est là qu'un peu plus tard, en soirée, aurait lieu le spectacle hebdomadaire que donnait le personnel du Princess Azul. Mais il ne commencerait pas avant vingt et une heures, ce qui laisserait le temps de terminer la dégustation de la bouillabaisse gaspésienne et du gâteau.

Trois employés installaient péniblement la jolie tortue en papier mâché sur la branche d'un des palmiers de la terrasse. Ça semblait lourd.

— Ça pèse une tonne, ta piñata, Rhénébièbé, t'as mis pour cinquante kilos de bonbons ou quoi? demanda l'un des ouvriers.

Geneviève rit. La confiserie avait peut-être outrepassé sa commande originale. Qu'importe, elle avait déjà payé. Mais tous ces bonbons outils trouveraient preneur, elle n'en doutait pas.

— Merci les gars. J'espère que je trouverai deux ou trois gamins pour venir me faire exploser tout ça ce soir, dit Geneviève. Ils ont laissé un bâton au moins? Je l'avais commandé.

Le bâton y était, mais la tâche serait plus ardue pour trouver des jeunes frappeurs. Il y avait peu d'enfants au Princess Azul en cette semaine qui n'en était pas une de vacances scolaires.

La branche du palmier tangua sous le poids de la piñata et cela fit sourire Geneviève. Elle voyait déjà l'avalanche de bonbons tombés sur le sol, et la surprise de son père. Il serait sans doute ému aux larmes en voyant qu'elle avait trouvé, ici même à Punta Cana, les mêmes bonbons – ou presque – que ceux qu'il achetait lorsque son frère et elle étaient enfants. Il lui faudrait cependant penser mettre un tapis sous la piñata afin de protéger les bonbons, qui n'étaient pas enveloppés.

Elle avait convié tous les invités pour un apéro à cinq heures. Geneviève passa se changer à son studio. Le choix de Sylvia était-il le bon ? « C'est le moment de mettre cette robe, Geneviève. Il est temps. » Elle doutait encore, mais le temps filait. Les invités allaient bientôt commencer à arriver.

Elle dénoua ses cheveux, qui lui arrivaient un peu sous les épaules. Six mois sans son coiffeur montréalais avaient été déstabilisants, mais Emerson, du Centre d'esthétique, avait su conserver la cohérence de la coupe de son Richard. Et il camouflait les cheveux gris dès leur apparition.

Geneviève se maquilla légèrement et se mit du rouge à lèvres, des gestes qu'elle ne faisait plus systématiquement tous les jours, comme lorsqu'elle avait sa pratique, dans la clinique du boulevard Saint-Joseph, à Montréal.

En retournant vers le lieu de la fête, elle croisa Olessia. Celle-ci, en la voyant, eut un drôle d'air. Geneviève ne savait pas comment l'interpréter, mais elle jugeait qu'elle n'avait absolument pas le temps de sonder les mystères de l'âme ukrainienne.

— Olessia, je te vois à la fête de papa tout à l'heure ? Et j'ai un petit service à te demander... Tu peux amener les enfants de ton client, Seraphim, pour faire exploser ma piñata ? Il me semble que ça va les amuser. Je ne vois pas trop un adulte faire ça.

— Mes relations avec Seraphim Pavlov sont difficiles, mais je ferai ça pour toi, oui. Et, surtout pour ton père. Il est tellement adorable. En passant, ta robe te va très bien. Et ça fait changement de te voir les cheveux dénoués. Mais attention, tu as du rouge à lèvres sur les dents.

Assis sur un tabouret dans les cuisines du Princess Azul, Pep Bolufer était satisfait de sa récolte. Il y avait suffisamment de champignons *Boletus manicus* pour venir à bout de l'affreuse vieille femme qui le torturait depuis une semaine. Vu son poids, il avait dosé à la hausse les recommandations d'usage. Ça ne serait pas assez pour la tuer, bien entendu, un meurtre était quand même passible d'une punition excessive, même dans cette république de bananes. La vieille ne valait pas quelques années d'emprisonnement, quoiqu'il pourrait toujours plaider la légitime défense. Mais les champignons feraient perdre momentanément la boule à cette créature diabolique, et Pep Bolufer pourrait savourer sa douce vengeance.

La belle-mère de Rhénébièbé n'y avait vu que du feu lorsqu'il lui avait suggéré de préparer les entrées aux champignons. «Eh oui, madame Desneiges, tes convives vont se régaler, mais toi, ton plat sera bien spécial...»

Ça n'était pas la première fois que Pep Bolufer utilisait ses grandes connaissances des champignons, acquises durant son enfance à courir les bois avec son grand-père Pep Sr, pour empoisonner un être malfaisant. Lorsqu'il était jeune apprenti, dans sa Catalogne natale, il s'était ainsi vengé de clients irrespectueux, dans le restaurant de son maître, Ferran Adrià. Malheureusement, il avait été démasqué et viré sur-le-champ. Pep s'était alors exilé quelques années en Thaïlande, un pays qu'il avait profondément détesté, sauf pour sa grande variété de champignons magiques. Il avait ainsi gâché la célébration du Nouvel An d'une richissime famille chinoise qu'il trouvait mal éduquée et ignare. Ils avaient tous été très malades. Pep avait adoré les voir se tordre de douleur en se ruant aux toilettes de l'hôtel cinq étoiles où il travaillait. Il avait aussi empoisonné les convives d'un mariage russe, car la tête du marié ne lui revenait pas. Il ne méritait pas la magnifique jeune fille qui allait devenir son épouse.

Avec la belle-mère de Rhénébièbé, c'était différent. Elle l'avait humilié devant ses propres employés. Elle l'avait torturé physiquement, de par sa simple présence, aux cuisines, et psychologiquement. Un de ses jeunes apprentis, un Français qui souhaitait l'impressionner, lui avait traduit les commentaires disgracieux qu'elle avait faits sur son blogue débile. Le pire avait été ceux concernant sa plus grande réussite personnelle à ce jour : le Brrr! Elle avait été jusqu'à comparer son concept avant-gardiste à un abattoir de poulets africain! Pep croyait fermement que le Brrr! lui vaudrait d'être remarqué, et de pouvoir enfin rentrer en Europe, seule terre où son savoir-faire serait reconnu à sa juste valeur.

Pep prit délicatement, dans ses mains gantées, les *Boletus manicus*. Il les lava, les trancha finement et commença leur cuisson. Il les ferait revenir par la suite dans une sauce au chocolat, un genre de *mole* à la mexicaine, pour camoufler leur amertume. C'est d'ailleurs de ce pays que venaient les semences de ce champignon sacré, comme les Indiens l'appelaient là-bas. Le chef les cultivait dans un des jardins du Princess Azul. C'était un puissant psychostimulant. De las Nieves n'aurait plus aucune inhibition, si tant est qu'elle n'en ait jamais eu. Elle aurait de folles hallucinations, l'horrible vieille, et peut-être des révélations mystiques. Si Dieu existait, ce dont Pep doutait depuis sa quatorzième année, elle le verrait assurément!

Il fut pris d'un rire diabolique, ce qui lui causa une crampe dans sa mâchoire. Il lui fallait quand même se hâter, car sa victime allait arriver d'une minute à l'autre pour commencer la préparation de sa bouillabaisse.

— Rhénébièbé, *que guapa!*

Venant de Gonzo Resurrección en personne, ce compliment fit très plaisir à Geneviève. Le don Juan de l'hôtel avait plutôt l'habitude de l'appeler Abuela, la grand-mère.

Il lui confia qu'il venait tout juste de se lever. La nuit avait été longue – ou courte, c'est selon. On lui avait dit que la jeune Chrystal-Lyne lui avait déclaré son amour devant un million de téléspectateurs, mais cette information ne semblait lui faire ni chaud, ni froid.

— Tu es devenu un genre de coqueluche au Québec.

— C'est vrai? Tu crois que j'en connaîtrai d'autres comme Christalina? Elle était mignonne, quoiqu'un peu grande à mon goût. Et sa peau, un peu trop *trigueña*...

C'était l'expression qu'employaient les Dominicains pour parler d'une peau tirant sur l'olivâtre. Il y avait, en fait, une panoplie de termes pour décrire les multiples teintes cutanées des dix millions de citoyens de cette île, où les mélanges avaient été nombreux au fil des siècles. Du noir absolu, *obscuro*, au blanc laiteux, il y avait une gamme infinie. Gonzalo qualifiait sa propre peau de *lavada*, délavée, ce qui était une coche plus foncée que l'olivâtre, et une plus claire que *canela*, la cannelle.

— C'est vrai que tu as un faible pour les peaux de blondes, c'est ce que j'ai cru remarquer...

— Comme celle de ta fille, la belle Anna... Mais je n'aurais jamais touché un seul de ses cheveux, tu le sais Abuela, je respecte le personnel féminin du Princess Azul, ainsi que leurs descendantes et leur mère.

— J'aime ton éthique, Gonzo. Parlant de mère, ou de belle-mère, tu viendras goûter à la bouillabaisse, c'est un genre de *sancocho*, que la mienne prépare pour les quatre-vingts ans de mon père, ce soir.

— *Con mucho gusto*, Rhénébièbé.

La piñata tenait bon, mais la branche du palmier sur laquelle elle était accrochée tanguait de plus en plus. Les ouvriers l'avaient placée en hauteur, il suffirait, avaient-ils dit, de tirer sur la corde pour la faire descendre au moment opportun. Il ne faudrait pas l'éventrer trop tard dans la soirée, se dit Geneviève, faute de quoi le pauvre arbre allait souffrir.

—Vous êtes en train d'abîmer le « mobilier végétal » du Princess Azul, madame...

En se retournant, Geneviève vit Aimé Gaillard qui se tenait derrière elle, tout sourire.

—Tu te souviens que tu m'as sorti ça lorsque tu m'as surpris dans un buisson, en début de semaine? « Mobilier végétal? » C'était bien mignon.

—Oui je m'en souviens, répondit-elle en riant. J'avoue que l'expression était effectivement... mignonne.

—L'invitation à la bouillabaisse tient toujours pour ce soir?

—Bien sûr. Tu viens quand tu veux. Je commence l'apéro dès que mon père arrive. D'ailleurs, il est justement là.

Marcel fit son entrée sur la terrasse en compagnie de son inséparable César et d'une Desneiges spectaculaire. Sa belle-mère avait enfilé une robe de soie turquoise, ceinturée par une épaisse chaîne médaillon en or, qui se fermait sur un immense cœur. Au cou, elle avait enfilé un volumineux collier du même modèle que la ceinture, et des anneaux en or pendaient lourdement à ses oreilles. Elle portait dans l'un de ses poignets le bracelet acheté chez Francisco et, dans l'autre, une chaînette composée de breloques représentant les principales attractions touristiques de la planète. On y voyait la Tour Eiffel, une pyramide d'Égypte, le Parthénon, le Taj Mahal, la statue de la Liberté, et, ce qui semblait être la Grande Muraille de Chine.

Pour compléter sa tenue, Desneiges avait emprisonné ses cheveux sous un turban aux couleurs pastel.

— Tu es magnifique, belle-maman, dit Geneviève en l'embrassant.

Son père était vêtu d'un bermuda kaki et d'un polo jaune qui lui allait très bien. «Adorable», se dit-elle, soulagée, en se rappelant qu'après la scène du vase des triplettes, elle n'avait pas examiné la tenue d'anniversaire de son père.

— Bon, bien, je vais me changer, j'ai passé la journée avec la police. À plus tard, leur dit Aimé Gaillard.

— Qui est ce bel homme, Geneviève? demanda Desneiges une fois qu'il se fut un peu éloigné.

— Un policier du SPVM venu arrêter un fraudeur international.

Geneviève lui raconta brièvement les différentes étapes par lesquelles elle était passée avec Aimé Gaillard, alias William Morane.

— Un espion, comme c'est excitant... Bon, je dois aller aux cuisines. Tous mes ingrédients sont supposés être là. Je reviens dans moins d'une heure.

À dix-sept heures trente, la première bouteille de mousseux espagnol, un Cava, fut ouverte. On trinqua à la santé de Marcel Cabana, dans une multitude de langues. Geneviève avait invité ses collègues agents, mais aussi moniteurs, professeurs, animateurs. Les cuisiniers se joignirent à la petite fête. Il y avait aussi, bien sûr, les nouveaux amis de Marcel, et les vacanciers, inconnus ou non, qui passaient par là et se joignaient au groupe.

Les triplettes y étaient, et Geneviève les salua de loin. Qu'avaient-elles décidé pour l'urne? Mystère. Jacinthe

Bisson, croyant que le salut lui était adressé, lui renvoya la main. Elle était en compagnie de plusieurs des congressistes que Geneviève avait vus durant la semaine. Les connaissances en synergologie avaient-elles fait de grands bonds en avant lors de ce congrès au Princess Azul?

— T'as de la chance d'avoir encore ton père, lui dit Michèle, qui venait d'arriver avec Romualda. Il a l'air en forme, quand même. Moi, mes parents ont disparu quand j'étais enfant. Pfff, volatilisés.

Geneviève la regarda d'un air interrogateur.

— Un mystère. Ils sont partis un matin pour aller faire des courses aux Halles et ils ne sont jamais revenus. La dernière fois qu'on les a vus, c'était dans une boulangerie. Ils dévoraient des croissants avec un café crème.

Là-dessus, Michèle partit d'un grand éclat de rire.

— C'est une blague, Geneviève. Mais bon, j'aurais bien aimé qu'ils disparaissent comme ça.

Aimé Gaillard arriva à ce moment-là. Geneviève ne put demander à Michèle pourquoi elle aurait souhaité voir disparaître ses parents. Elle le saurait lundi prochain, quand elles iraient aux quilles. Aimé Gaillard était vêtu comme son père d'un bermuda kaki, mais il portait un t-shirt bleu avec le logo d'une boussole. Geneviève eut un moment de gêne en se rappelant que la veille, elle avait fouillé dans sa valise.

— Tu as toutes sortes de t-shirts, lui dit Geneviève, qui voulait engager la conversation. Dans quelle boutique ta fille travaille-t-elle, déjà?

— Elle est chez Simons, au centre-ville de Montréal.

Elle avait vingt-deux ans, l'informa Aimé Gaillard, et étudiait en design industriel. Il avait aussi un fils de vingt ans. Il voulait devenir avocat criminaliste.

— Il veut faire libérer les types que j'arrête, c'est son objectif, dit-il en riant.

— Est-ce qu'il veut aussi marier sa mère ? dit Geneviève.

Comme Aimé la regardait d'un drôle d'air, elle poursuivit sa pensée.

— Je fais allusion au complexe d'Œdipe... Tu sais, le complexe d'Œdipe ? Le fils est en conflit avec papa, qu'il veut tuer symboliquement, car enfin, c'est comme une mort symbolique, tu es policier, et il veut saboter ton travail... Et dans la légende, Œdipe épouse sa mère, après avoir tué son père. Mais bon, habituellement, ça se passe vers l'âge de quatre ans, et...

— J'avais oublié que tu étais psy.

Geneviève sentit que ça n'était pas nécessairement un compliment.

On entendit soudain résonner le tintement familier d'une fourchette contre un verre.

— Marcel, un discours ! Marcel, un discours ! lança César.

Desneiges, qui était revenue des cuisines, enchaîna à son tour.

— Un discours ! Un discours !

Marcel se racla la gorge. Il avait assez bu de Cava pour prendre la parole, se désola Geneviève, qui appréhendait le pire. Son père était d'un naturel discret. Mais l'alcool le rendait sentimental. Et c'était pire avec les bulles.

— Je voudrais tous vous remercier d'être avec moi en ce jour si spécial. Geneviève, ma fille, tu traduiras après, d'accord ? Comme elle me l'a si bien écrit dans ma carte d'anniversaire ce matin : « Ce qui est difficile, c'est de devenir octogénaire ; après, il n'y a plus qu'à se laisser vivre ! »

Tous ceux qui comprenaient le français applaudirent ces mots si sages. Michèle traduisit la citation en anglais, puis en espagnol, et un concert d'approbations se fit entendre.

— Je voulais vous dire que je n'étais pas d'accord, au début, avec le départ de ma Geneviève en République, mais je crois qu'à tout événement, elle n'a pas fait un si mauvais choix.

Heureusement, il n'élabora pas sur les « circonstances ». Mais le pire était à venir.

— Et si j'ai quatre-vingts ans, eh bien! Mes enfants aussi vieillissent. J'ai appris aujourd'hui que ma belle Geneviève était... en fait, elle avait atteint ce... plateau, ce moment de femmes, vous savez... Quand elles piquent des colères pour rien? Quand elles pleurent pour rien aussi? Quand leurs hormones sont toutes mélangées?

Marcel riait. Geneviève s'étouffa dans son verre de Cava.

— Ma fille est en ménopause. Et moi je suis un octogénaire!

Il leva son verre, et tout le monde trinqua à sa santé. Geneviève était écarlate. Elle avait Aimé Gaillard à ses côtés. En quelques minutes, il lui semblait qu'elle était passée de mystérieuse agente, séduisante dans sa robe portefeuille orange brûlée, à psy en pleine ménopause.

Sa robe, d'ailleurs, lui donnait du fil à retordre. L'ouverture sur le côté devait être très légère, subtile, mais ça n'était pas le cas dès qu'elle bougeait. Elle passait son temps à replacer le tissu. Le décolleté était aussi beaucoup trop plongeant.

Mais elle avait d'autres soucis plus urgents, dont celui d'empêcher Michèle de traduire la dernière diatribe de son père.

— Je crois que nous sommes prêts pour l'entrée, dit-elle à voix haute.

Pep Bolufer était à à la porte-fenêtre et il lui faisait de grands signes. Sans être affable, le chef semblait de moins mauvaise humeur que d'habitude.

— Les entrées de champignons sont prêtes, lui dit-il. Je demande à Carlotta et Julio de les apporter, OK? J'en ai préparé une toute spéciale pour ta belle-mère. Je veux m'excuser d'avoir été un peu raide avec elle...

Mon Dieu, se dit Geneviève, que se passait-il avec Pep Bolufer? Sentait-il sa fin proche? Avait-il été frappé par une illumination divine?

— C'est très gentil de ta part, Pep. C'est vrai qu'elle en met parfois un peu dans son blogue, ça l'enthousiasme beaucoup. Elle sera touchée par ta petite attention.

Certains convives s'assirent autour de la grande table, installée exprès pour l'occasion, d'autres restèrent debout. Geneviève apporta elle-même le plat spécialement cuisiné pour elle à sa belle-mère.

— Mon doux Jésus, regardez qui nous fait l'honneur de venir à cette petite fête!

Desneiges se rua sur Federico del Prado Mayor, qui venait d'arriver. Il était magnifique dans son polo vert forêt, et ses pantalons gris de bonne coupe. Ses cheveux noirs avaient été joliment laqués, se dit Geneviève. Il ressemblait à Al Pacino, dans *Le Parrain*. Il devait avoir un événement spécial en soirée.

— Je ne peux pas rester bien longtemps, *doña* de las Nieves, je suis attendu en soirée pour une importante réunion avec des représentants de la chaîne hôtelière à qui appartient cet hôtel. Ils sont de passage à Punta Cana. Mais je tenais à venir saluer tout le monde.

Desneiges lui mit immédiatement une coupe de Cava entre les mains.

—Vous n'aurez pas le temps de goûter à ma bouillabaisse gaspésienne, dit-elle, désolée. Qu'à cela ne tienne, vous aurez cette entrée toute spéciale à ma place. Le chef l'a préparée exprès pour moi, mais je ne suis pas très friande des champignons.

Le directeur général la remercia chaleureusement.

—Eh! bien moi, c'est l'un de mes plats préférés... Nous avions une cuisinière, quand j'étais enfant, était-ce à Madrid ou à notre hacienda du Rio Duero? Toujours est-il qu'elle préparait d'excellents champignons à l'ail et au persil frais du jardin. Elle ajoutait des noisettes et des noix de Grenoble.

Federico del Prado enfourna sa première bouchée et son verdict fut formel.

—C'est un délice! On dirait qu'on a ajouté du Nutella!

Selon les calculs de Pep Bolufer, les premiers effets du *Boletus manicus* se feraient sentir dans une trentaine de minutes. Il avait vérifié les différents symptômes dans son Grand dictionnaire des champignons, quelques heures plus tôt, et salivait déjà. Il y aurait les désagréments physiques, comme les nausées et les vomissements, la dilatation des pupilles, les tremblements, l'hypothermie ou une sudation excessive. Dans son affreuse robe de soie turquoise, ça allait être spectaculaire! se dit-il. Mais le plus drôle allaient être les effets psychiques. Il en riait encore. Ils allaient du simple fou rire à des «distorsions spatio-temporelles», une sensation d'omniscience, d'ultra-clairvoyance, des hallucinations, de la paranoïa et même «l'invalidation des raisonnements logiques», sans doute le plus amusant, car cette femme en était déjà dépourvue. L'empoisonné pouvait aussi avoir une sensation de mort imminente, une réémergence de souvenirs oubliés, et la palme de tous : une expérience mystique.

Bref, de las Nieves ferait une folle d'elle.

Pep avait détruit toute trace du champignon *Boletus manicus*, mais il avait laissé, sur son plan de travail, bien en vue, un champignon ordinaire, mais périmé. Il pourrait toujours invoquer une intoxication bien involontaire si on le questionnait là-dessus, le cas échéant. Mais il en doutait. Le comportement de la belle-mère de Rhénébièbé passerait pour des excentricités de vieille folle.

Desneiges avait commencé à expliquer aux convives, en français et en anglais, de quoi était composée la bouillabaisse gaspésienne et ce qui la distinguait des autres bouillabaisses de par le monde. César la filmait. Elle en profita pour parler de la Gaspésie – le plus beau coin de pays de cette planète – et des Gaspésiens, des gens fiers et travaillants.

— On y trouve de nombreux phares, et la région compte dix ponts couverts toujours en activité.

Le cellulaire de Geneviève vibra. Elle venait de recevoir un texto. Il provenait de la confiserie du Palma Real Shopping Village. On lui demandait pourquoi personne n'était passé prendre les dix kilos de bonbons en forme d'outils qu'ils avaient préparés pour elle.

Elle répondit qu'il y avait erreur, puisque la piñata était arrivée pleine comme un œuf.

Puis, un horrible bruit lui fit lever la tête.

France Tremblay avait décidé de se joindre à la petite fête organisée par Geneviève, histoire de chasser les mauvaises vibrations laissées par cette semaine au Princess Azul.

Il avait dépassé les attentes, comme on dit, au chapitre des mésaventures.

Pourtant, il avait l'habitude de ces petits «incidents», comme il appelait certains épisodes de sa vie. Sa presque noyade à quatre ans n'avait été, en fait, que le prélude à une série d'événements parfois inusités.

Il avait été oublié par son professeur lors d'une sortie au Parc national des Monts-Valin, en plein hiver, et avait failli mourir de froid. Son bus scolaire le renversa non pas une, mais deux fois, heureusement sans conséquences graves. Mais sa jambe plâtrée l'avait empêché de participer aux éliminatoires de sa ligue de hockey peewee D, où il évoluait comme gardien de but.

Lors d'une expérience en chimie, au secondaire, il avait reçu accidentellement un litre d'acide sulfurique sur le pied gauche, et en avait gardé des cicatrices. En biologie, il tomba sur une grenouille encore vivante, au moment de la dissection. Elle s'était jetée à sa figure.

— Ça n'est jamais arrivé, lui avait dit son professeur.

Au cégep, lors d'un spectacle rock, il reçut en plein front une guitare électrique, projetée, dans un moment de transe, par le gars le plus populaire du collège, un dénommé Steve. Il fut aussi piétiné lors d'une danse. Il était le seul qui était tombé par terre, au moment d'une bousculade.

— T'es donc pas chanceux, entendait-il souvent.

Pourtant, il avait eu une chance que peu d'hommes ont dans leur vie : il avait rencontré le grand amour. Odile et lui s'étaient connus durant leurs études à l'UQAM et ils formaient un couple fusionnel, même après vingt-cinq ans de fréquentation. Ils faisaient tout ensemble. D'ailleurs, si Odile avait pu venir avec lui dans ce voyage de recherche à Punta Cana, rien de cela ne serait arrivé, se dit France. Elle lui portait chance. Mais Odile avait au même moment une réunion très importante à son Département d'histoire. La suspension d'un collègue, qui avait proféré des menaces de mort à l'endroit d'un stagiaire en études médiévales, était à l'ordre du jour. Odile était de ceux qui affichaient une tolérance zéro pour la violence sous toutes ses formes, et elle prônait la suspension. Mais des collègues arguaient que le comportement dudit stagiaire (il avait détruit accidentellement des dossiers de recherche uniques, compilés depuis des années, alors que le professeur lui avait demandé à maintes reprises de ne pas toucher à son ordinateur) justifiait une montée de lait chez ce dernier.

La petite fête battait son plein, et les convives étaient à table, à ce que France pouvait constater. Ça sentait bon, même à cette distance. Il traversait la terrasse d'un pas plus lent que d'habitude, car sa fesse gauche était encore très sensible depuis la morsure du chien policier, la veille. C'est au moment où il passait sous un palmier royal qu'il entendit un bruit assourdissant, comme un violent déchirement. Cela venait d'au-dessus de sa tête. Au moment où il la leva, plein d'appréhension, le ventre de ce qui ressemblait à une tortue des mers en papier mâché s'ouvrit, laissant tomber des centaines, voire des milliers de clous, de vis, de pinces, de tournevis et de marteaux, dont un atterrit directement sur son front. Ce fut la dernière image qu'il vit avant de s'évanouir.

— Mon beau doudou... Mon beau doudou!

Desneiges semblait être la première à réagir à l'événement qui venait de se produire. Tous avaient entendu le bruit assourdissant, qui parvenait du palmier. Tous virent la piñata s'éventrer violemment. Mais ça n'étaient pas les habituelles friandises qui en tombèrent. Plutôt ce qui ressemblait à du métal lourd et des vis.

Un homme qui passait sous l'arbre s'affaissa, comme mort.

— Tout le monde par terre, cria une voix. *Go down! A terra!*

C'était Aimé Gaillard, qui donnait ses instructions, dans les trois langues. Il ne maîtrisait pas tout à fait la dernière. Le policier se précipita vers le lieu de l'affaissement. Mais au lieu de rester sagement derrière, la plupart des convives le suivirent.

— Restez derrière, c'est peut-être une bombe à fragmentation! *Maybe a cluster bomb!*

— Mais non, c'est une piñata, rétorqua une voix de femme. C'est la piñata de papa...

Geneviève était au bord des larmes.

— Est-ce qu'il est...

Aimé Gaillard était en train de prendre les signes vitaux de France Tremblay. Il rassura tout le monde.

— Il est simplement évanoui... Mais qu'est-ce que... qu'est-ce que c'est que ça?

Pour dégager le professeur, Gaillard dut enlever des milliers de vis, de clous, des tournevis et des marteaux. L'homme en était complètement recouvert. Il y en avait partout sur le sol.

— Mais qui... mais qu'est-ce que ça fait là?

— Ma fille, pourquoi as-tu mis des outils et des vis dans du papier mâché? Si tu m'avais demandé, je te l'aurais dit que ça serait trop lourd.

— Mais c'est pas moi, c'est un malentendu. J'avais demandé des outils en chocolat, papa, comme quand on était petits. Pas des vrais! Mais bordel, qui est le débile qui a rempli ma piñata de vrais outils? Qui est le débile?

France Tremblay était revenu à lui. Une femme, provenant du groupe de congressistes synergologues, se présenta comme infirmière. Elle prit ses signes vitaux, lui demanda comment il s'appelait, quelle journée on était, et où il se trouvait. Il échoua seulement à cette dernière question lorsqu'il répondit: «en enfer».

— Vous êtes au Princess Azul, France, rétorqua Geneviève en lui tapotant la joue, accroupie. Revenez parmi nous, s'il vous plaît.

En se relevant, elle déchira une section du bord de sa robe portefeuille sur des clous.

France fut délicatement dégagé, puis redressé. Malgré toutes les précautions prises par plusieurs hommes, il se planta un clou dans une cuisse et hurla à la mort.

— Il n'est vraiment pas chanceux, dit Desneiges. Pauvre homme.

Marcel s'offrit pour faire le décompte de toute cette quincaillerie inespérée, mais Geneviève l'arrêta net.

— Ce n'est pas nécessaire, papa.

— On ne va pas laisser tout ça par terre, non?

— Oui papa. Un homme de ménage va venir ramasser ça.

— Il va pas mettre ça aux vidanges, toujours?

Geneviève allait répondre par l'affirmative, lorsqu'elle vit apparaître Federico del Prado Mayor. Comment le directeur général allait-il interpréter cet incident, disons, hors norme? Un client avait été enseveli sous des clous et des outils et il avait été assommé par un objet contondant, sans doute un marteau. Il avait perdu connaissance. L'arme du crime provenait d'une piñata que Geneviève avait introduite sur le site de l'hôtel. On l'avait accrochée à un palmier royal.

— Monsieur del Prado, je vais vous expliquer...

Mais Geneviève s'arrêta net. De grosses gouttes de sueur dégoulinaient du front de del Prado. Il respirait bruyamment, et passait frénétiquement sa langue sur ses lèvres. Ses yeux étaient vitreux.

Était-ce sa façon à lui de montrer qu'il était vraiment excédé? se demanda Geneviève. Allait-il la renvoyer sur-le-champ? Devant son père? Le jour de ses quatre-vingts ans?

Mais contre toute attente, del Prado se mit à rire. Il riait, riait, il ne pouvait plus s'arrêter. Il en pleurait.

Son fou rire était contagieux. Autour de lui, tout le monde l'imita. Desneiges hoquetait. Marcel était plié en deux. Sylvia criait en se tapant les cuisses. Après tout, et même Geneviève devait l'admettre malgré son découragement devant la situation, ce qui venait de se produire était cocasse.

Mais Federico del Prado cessa soudainement de rire. Il se mit à baragouiner des phrases inaudibles. Son débit était de plus en plus rapide. Tellement, qu'on aurait dit qu'il s'exprimait désormais en chinois. D'autant plus que la tonalité de sa voix avait grimpé d'un cran. Puis, il chantonna.

— Ah non! chuchota Sylvia à l'oreille de Geneviève. Il ne va pas se remettre à chanter! Ton gars qui l'a enseveli, il y a cinq mois, va le chercher!

Mais Geneviève ne riait plus du tout. Del Prado était à présent engagé dans une intense conversation imaginaire, toujours en chinois, qui semblait pleine de rebondissements. Il gesticulait, tapait du pied. Autour de lui, le silence se fit.

— Monsieur del Prado, ça va? demanda Gonzalo Resurrección, qui venait d'arriver en compagnie d'une grande brune. Qu'est-ce qui se passe ici? demanda-t-il en regardant la scène et, surtout, le directeur général. Il ne va pas bien? Est-ce qu'il y a une caméra cachée quelque part? Allo?

Personne ne répondit. Le directeur général entamait maintenant des pas de danse, comme un ballet, puis il s'arrêta net. Il regardait intensément Desneiges. Son joli polo vert forêt était trempé de sueur, mélangé à l'huile qu'il avait mise dans ses cheveux. Sa coiffure était d'ailleurs ravagée.

Del Prado se jeta sur Desneiges. Il l'entoura de ses bras, puis mit sa tête dans son abondante poitrine et se mit à sangloter. À travers le mur que formaient les chairs abondantes de Desneiges vers le monde extérieur, on n'entendait que le mot «Carmela», répété sans arrêt.

Geneviève se rappela ce que le directeur général lui avait confié: son ex-belle-mère ressemblait à une domestique qu'il avait connue enfant, une dénommée Carmela. Elle semblait avoir disparu soudainement de la vie du jeune Federico. À son grand désarroi.

Le cellulaire du directeur général sonnait. Il avait changé l'air d'opéra pour de la musique symphonique. Il avait toujours la tête dans la poitrine de Desneiges. Celle-ci lui donnait des petites tapes dans le dos, comme un nourrisson à qui on veut faire faire un rot.

Après plusieurs sonneries, le directeur général hésita, puis ouvrit son cellulaire. Il répétait le nom de Carmela, puis il rit, et enfin pleura.

Geneviève lui prit délicatement l'appareil des mains et le referma. Mais il sonna à nouveau quelques secondes plus tard.

Elle confia l'appareil à Alicia Flores, la directrice de la salubrité, qui hochait la tête, incrédule, depuis de longues minutes.

— Jacinthe! dit Geneviève en s'approchant de la synergologue. Tu vois monsieur del Prado. Qu'est-ce qu'il a, bordel? Comment tu interprètes ça?

— J'interprète ça de la même façon que toi, Geneviève. Ce monsieur a perdu la tête. Qu'il a fort jolie, d'ailleurs.

Après avoir rejeté Desneiges un peu rudement, del Prado se mit à courir dans tous les sens, comme si le diable était à ses trousses. Il fit une roue, puis une culbute arrière, et grimpa sur une table. Il était d'une agilité surprenante.

Après avoir feint quelques accords avec une guitare électrique imaginaire, puis les mouvements d'une raquette de tennis tout aussi imaginaire, il tenta une nouvelle pirouette arrière. Mais cette fois, il s'affaissa lourdement sur la table, encore couverte par les assiettes contenant les entrées de champignons.

Kioko annonça une excellente nouvelle : Docteure Thu, avec qui elle devait sortir le soir même, était toujours sur le site du Princess Azul. Elle avait été appelée en renfort et serait là d'une minute à l'autre.

Alicia Flores continuait de parler au téléphone. En raccrochant, elle expliqua qu'il s'agissait d'un patron de la chaîne CostaStellar, qui visitait tous les Princess Azul de la planète. Il avait rendez-vous pour un dîner au Brrr! avec del Prado. Elle avait tenté d'expliquer l'inexplicable, en omettant volontairement les détails gênants. Le directeur général avait eu un malaise. Mais l'homme, un dénommé Ricardo Rodriguez, sentait qu'on lui cachait quelque chose. Il était en chemin vers la terrasse.

Geneviève était persuadée que le comportement du directeur général avait été causé par l'éventration de la piñata. Cela avait déclenché quelque chose dans son cerveau. Un traumatisme d'enfance? Elle ne pouvait le dire, mais une chose était certaine: les inspecteurs de CostaStellar ne pouvaient pas le voir dans cet état. Il serait congédié. Sa belle carrière, envolée en fumée.

Elle se tourna vers Aimé Gaillard, qui se tenait derrière elle, en compagnie de Gonzalo Resurrección et de deux sauveteurs. Elle leur dit qu'il fallait que Federico del Prado disparaisse au plus vite. Mal comprise sur le coup, elle précisa sa pensée.

— Un type de Madrid vient de débarquer, il ne faut pas qu'il le voie dans cet état!

Les quatre hommes portèrent le directeur général, qui était désormais recroquevillé dans une position fœtale, vers le cabanon qui servait à ranger le matériel, à la piscine.

Gonzo fit mine de jeter le directeur général dans l'eau, « pour le réveiller », mais Geneviève lui fit de gros yeux.

— Je vous envoie docteure Thu dès qu'elle en a fini avec France Tremblay.

Lorsqu'elle retourna à la terrasse, un semblant de normalité était revenu. Desneiges distribuait des assiettes de bouillabaisse gaspésienne. Marcel était assis avec les triplettes et mangeait goulûment. Geneviève reconnut Alberto, le gréviste de la faim, qui avait visiblement rompu son jeûne pour l'occasion. Il n'en gardait pas moins sa pancarte de revendications dans le cou. Un concierge s'affairait à ramasser les vis, clous et autres objets tombés de la piñata.

— On est arrivés trop tard, n'est-ce pas?

Olessia était accompagnée de Seraphim Pavlov et de ses deux enfants. Elle se rappela qu'elle avait demandé leur aide pour éventrer la piñata.

— Les enfants se demandent s'il reste des bonbons.

— Non… Olessia, il y a eu un petit malentendu avec les bonbons…

— Justement, parlant de malentendu, il faut que je te parle, Geneviève.

Elle avait baissé la voix.

— Je veux bien, mais je dois m'occuper d'abord de ce client.

Elle pointa docteure Thu, qui était penchée sur France Tremblay, un peu à l'écart. Rosie était avec eux.

— Encore lui, Rhénébièbé, mais qu'est-ce que tu fais à tes clients? lui demanda la médecin en la voyant arriver.

Elle portait une robe très seyante et était outrageusement maquillée. Visiblement, elle s'apprêtait à sortir.

— Il a une bosse sur le front, mais ça semble sans gravité, comme je l'ai expliqué à ta collègue. J'ai extirpé le clou de sa cuisse, et j'ai désinfecté. Je ne crois pas qu'il soit nécessaire de l'envoyer à nouveau à l'hôpital. Pauvre homme. Il n'est pas chanceux.

« En effet », se dit Geneviève.

Sylvia apporta un verre de Cava à France Tremblay. Il le but à grande gorgée.

— L'alcool va l'aider, lui dit l'Anglaise. Et je vais m'occuper aussi de ce type…

Le type en question était visiblement l'homme avec qui Federico del Prado avait rendez-vous. Avec son complet-cravate, il détonnait du reste du groupe. Geneviève lui avait expliqué la situation. Leur directeur général risquait sa carrière si on le voyait dans cet état. Sylvia alla à sa rencontre, deux verres à la main.

Après s'être assurée que France Tremblay était entre bonnes mains, avec Rosie à ses côtés, Geneviève soumit à docteure Thu son autre cas médical urgent.

— Monsieur del Prado est devenu... comme fou. Depuis que cette piñata a été éventrée, en fait.

— Je te suis.

En arrivant au cabanon, les deux femmes virent un Federico del Prado emmailloté dans des couvertures, grelottant. Il claquait des dents. Ses yeux étaient toujours vitreux. En voyant docteure Thu, ils s'illuminèrent.

— Madame Butterfly, répétait-il en tendant le bras. Madame Butterfly. Chantez pour Federico, madame Butterfly. Chantez...

Docteure Thu fit comme si elle n'entendait pas et entreprit d'examiner le directeur général, qui poussait de petits cris et riait à chacun de ses touchers.

— Il a un rythme cardiaque très rapide.

— Puis-je vous embrasser, madame Butterfly?

La médecin demanda qu'on lui explique en détail son comportement, depuis le début des premiers symptômes.

Entre-temps, del Prado avait pris les deux mains de Geneviève et la regardait avec curiosité.

— Vous êtes la maman de Jésus, c'est ça? demanda-t-il une bonne dizaine de fois. La maman de Jésus... Je suis déjà au paradis? Comme c'est beau...

Il souriait béatement.

Puis, docteure Thu demanda :

— Est-ce que, par hasard, il y avait des champignons au menu ce soir ?

Federico del Prado Mayor fut transporté à ses appartements, qui étaient situés dans un bâtiment un peu en retrait du site. Paloma, son assistante, fut appelée à la rescousse. Docteure Thu lui expliqua qu'il avait vraisemblablement été victime d'un empoisonnement aux champignons, dont la nature était inconnue pour l'instant. Il fallait le surveiller toute la nuit, même si les effets se dissiperaient d'eux-mêmes au fil des heures.

L'un des sauveteurs, Ernesto, fut désigné pour accompagner Paloma dans cette tâche délicate.

— Bon, je dois aller rejoindre ma *date* de la soirée, dit Gonzalo Resurrección. Elle m'attend à la discothèque. Au revoir tout le monde. Abuela, je vois tes petites culottes !

Geneviève replaça sa robe portefeuille, qui s'ouvrait constamment jusqu'à sa taille, à son grand désarroi.

Geneviève résuma à Aimé Gaillard la longue feuille de route du don Juan du Princess Azul.

— C'est lui ? C'est le type de la téléréalité ? Ma fille m'en a parlé. Je ne lui ai annoncé qu'hier où je passais la semaine, je ne pouvais pas le faire avant, et elle m'a dit qu'un gars de l'hôtel avait mis le bordel dans l'émission.

— Effectivement. Tout un bordel, répondit Geneviève alors qu'ils arrivaient à la terrasse.

L'ambiance était festive. On avait mis de la musique et tout le monde dansait. Malgré son bras dans un bandage, Sylvia faisait tournoyer sur lui-même, à grande vitesse, l'envoyé spécial de CostaStellar. On avait installé une corde, et les convives s'amusaient à passer dessous, comme au limbo.

Quand ce fut le tour de Ricardo Rodriguez, envoyé de force par Sylvia, la corde fut placée si bas qu'il termina sur le dos, salissant son complet de marque.

Geneviève rassura tout le monde sur l'état de santé de Federico del Prado.

— C'est un simple empoisonnement alimentaire.

— Simple? demanda Michèle, en pouffant de rire. Imaginez si ça avait été un empoisonnement compliqué.

Docteure Thu et Alicia Flores, la directrice de la salubrité, avaient rameuté du personnel dans les cuisines et tous s'affairaient à découvrir la source de l'empoisonnement. On entendait des cris, sans doute provenant de Pep Bolufer, et Geneviève se dit qu'il menacerait sans doute, une fois de plus, de démissionner.

Le gâteau arriva. Geneviève avait payé un supplément à la pâtissière pour qu'elle prépare cette commande toute spéciale. On chanta un joyeux anniversaire à Marcel, dans une demi-douzaine de langues. La version la plus exotique était celle en japonais, chantée par Kioko.

Son père était visiblement heureux. Et Geneviève, émue. Le Cava aidant, les détails de «l'ensevelissement» de France Tremblay s'estompaient. Et même si les images d'un Federico del Prado perdant l'esprit étaient difficiles à accepter, vu la grande admiration qu'elle lui vouait, elle était soulagée que le problème du directeur général ne provienne pas, pour une fois, d'elle ou d'un de ses clients, mais d'un simple champignon mal digéré.

Puis, on débarrassa la table, on la plia, on ramassa les chaises, et on les installa plus loin pour le spectacle du personnel du Princess Azul, qui allait commencer bientôt.

— C'est quand même curieux...

— Quoi donc? demanda Aimé Gaillard.

Geneviève lui avait suggéré d'aller faire un tour sur la plage, déserte à cette heure. Elle avait apporté une bouteille de Cava, récupérée aux cuisines. Ils s'étaient assis sur le sable, à la limite de l'eau. Tant pis pour la robe portefeuille. Elle était déjà déchirée dans le bas et tachée par l'huile dégoulinante des cheveux de Federico del Prado. Et très peu commode: après Gonzo, son père lui avait aussi signalé qu'on voyait ses sous-vêtements tellement elle était échancrée sur le côté.

Marcel s'était retiré dans sa chambre après le spectacle, fatigué, mais visiblement heureux. Desneiges s'était de son côté endormie durant l'une des prestations, pourtant spectaculaire, de l'ex-gymnaste bulgare devenue agente à destination pour un voyagiste turc. Chaque semaine, ses saltos arrière et pirouettes renversées, exécutées à une vitesse folle, galvanisait la foule de vacanciers.

Les ronflements de Desneiges devenant gênants, César l'avait réveillée, puis s'était proposé pour la raccompagner à sa chambre.

— Abuse pas d'elle, César! lui cria Marcel, ce qui horrifia Geneviève.

Elle se demandait si sa belle-mère avait terminé la lecture torride de *Cinquante nuances de Grey*. Auquel cas, qu'en avait-elle retenu? Mais elle avait vite chassé cette pensée.

— Curieux que Federico del Prado ait été empoisonné par le plat qui était destiné spécialement à ma belle-mère, poursuivit Geneviève. Expressément pour elle, de la part du chef Pep Bolufer. Pourtant, trois jours avant, il menaçait de démissionner tellement elle lui tapait sur les nerfs. J'ai été convoquée au bureau du directeur à ce sujet.

Elle lui parla du caractère bouillonnant, irascible, hargneux du chef catalan, et de son incompatibilité avec un geste aussi généreux que celui d'aujourd'hui.

— Tu ferais une excellente psy dans la police, lui répondit Aimé Gaillard.

— J'ai déjà voulu être psy dans la police. Après avoir vu la série *Fortier*.

— Tu aurais dû. On en cherche toujours.

— Peut-être que ça deviendra une deuxième carrière, quand je vais rentrer à Montréal, qui sait? Mais pour l'instant, ça me paraît bien loin, dit-elle en s'affalant davantage sur le sable.

— Tu dois être pas mal, ici?

— Ce soir, je suis très bien, oui, répondit-elle en le regardant droit dans les yeux.

Elle n'en revenait pas de son audace. Elle le draguait ouvertement ou quoi? Ça n'était pas dans ses habitudes.

— Mais la job est parfois chiante, ajouta-t-elle, pour atténuer l'effet précédent. J'ai des clients parfois bizarres. Comme toi!

— Tu dois en avoir avec qui tu passes des moments comme maintenant, non?

— Bien franchement?

— Oui.

— La réponse est non. Depuis plus de six mois, je ne suis jamais venue ici avec un client. C'est pas recommandé, pour te dire. En tout cas, pas ouvertement.

— Avec qui alors?

— Des collègues…

Il y avait bien eu quelques clients de Sylvia, une fois, mais Geneviève ne se donna pas la peine de le préciser. Il ne s'était rien passé.

— Alors, je suis ton premier client ? C'est romantique...

Elle rit.

— Dis-moi, Aimé...

— Oui ?

— J'adore ton prénom. Mais il est si... rare, surtout pour un homme de ton âge. Ça vient d'où ?

— Ma mère... Selon mon père, elle était comme en transe à ma naissance, elle me trouvait tellement adorable, qu'elle lui a *pitché* ce prénom et il n'a pas eu le choix d'accepter.

— Ça n'a pas dû être facile à porter tous les jours.

— Tu serais étonnée. J'étais pas le genre à me laisser faire.

— Ça m'étonne pas, non. J'ai vu ton côté plus... brutal, disons.

— Oui, avec le « mobilier végétal » de l'hôtel, je te concède, dit-il en se rapprochant de Geneviève. Puis, il ajouta :

— Ta robe...

— Quoi ? Qu'est-ce qu'elle a ?

— Elle est tellement tout croche, que ça prendrait un petit rien pour t'en débarrasser.

Geneviève trouva cette entrée en matière des plus originales.

Samedi

Seraphim Pavlov s'était réveillé de mauvaise humeur. Il avait fait un rêve troublant – son père, un homme cruel, s'amusait à lui égratigner les pieds avec les griffes d'un des chats de la maison familiale, sa préférée, la jolie Douchka-Poupa. Il détestait rêver à son père.

Puis, il avait de sérieux problèmes intestinaux depuis son arrivée à Punta Cana. Il dut aller directement à la salle de bains, en faisant attention de ne pas réveiller les enfants. La mère des bambins, dont il était divorcé, l'avait harcelé toute la semaine pour qu'il surveille leur sommeil, leur alimentation, l'eau, les bestioles, la chaleur, le soleil, et même les kidnappeurs.

— Garde toujours en tête l'histoire de la petite Maddie. Elle a été enlevée dans un *resort* alors que ses parents l'avaient laissée seule dans leur chambre pour aller dîner.

— Elle avait à peine trois ans !

— Mais nos enfants sont blonds. Il y a un trafic international pour ce type-là. Ils sont vendus à des gitans, qui les revendent à leur tour. Tout le monde sait ça.

Assis sur le siège de la toilette, il tenta à nouveau de résoudre un des sudokus considérés comme l'un des plus difficiles du monde. Il avait été conçu par un mathématicien finlandais, un dénommé Arto Inkala, qui l'avait baptisé AI Escargot. Il trouvait que le puzzle ressemblait à ce mollusque et que «tenter de le résoudre s'apparente au plaisir de la cuisine», avait lu Seraphim dans un magazine. Il pestait contre une telle prétention, lui qui aimait faire la cuisine.

Il rejeta le sudoku et se concentra sur la tâche à accomplir. Et il se rappela qu'une fois sur deux, le mécanisme installé par les employés de cet hôtel, pourtant recommandé par son agence de voyages, ne fonctionnait pas. Seraphim Pavlov sentait qu'il ne pourrait supporter pareil échec, ce matin-là.

Kim Bak n'avait jamais assisté à la chute d'une cuvette de toilette d'un troisième étage. Malgré une longue vie, passée en partie au service de Samsung, comme conseiller aux ventes, une telle expérience lui était inconnue. Par contre, le cri qui accompagna le lancement de l'objet lui rappelait ceux qu'il avait entendus dans les camps d'internement de la Corée du Nord, où il avait eu le malheur de passer dix-huit mois, lors de la guerre entre son pays et les voisins communistes. Lorsqu'un prisonnier se faisait arracher les ongles, par exemple.

Malgré ses quatre-vingt-six ans, il eut le temps de s'éloigner et ne fut pas blessé par l'explosion en plusieurs morceaux de la cuvette, lors de son atterrissage au sol. Il fut cependant contrarié de constater qu'elle n'était pas seulement remplie d'eau, comme en faisait foi le liquide brunâtre qui se mélangeait aux morceaux de porcelaine.

Le bruit avait été assourdissant et les portes des chambres s'ouvraient, bien qu'il ne fut que six heures du matin. Des vacanciers incrédules regardaient les restes.

Geneviève crut qu'elle rêvait encore lorsqu'elle entendit le bruit d'un objet se fracassant au sol. C'était encore cette piñata qui s'effondrait. Mais elle était de plus en plus lourde, de plus en plus chargée d'objets contondants, comme dans son dernier rêve. La tortue des mers était remplie de briques et de gros morceaux de métal. Et ça n'était pas France Tremblay qui les recevait sur la tête. Plutôt Sylvain Lemieux. Geneviève était alors prise du même fou rire démoniaque que celui de Federico del Prado.

«Mon Dieu, comment va-t-il ce matin?» se dit-elle en se levant d'un bond, pour aller voir d'où provenait réellement le bruit. Elle avait écarté la possibilité qu'elle soit en train de rêver. Car les sons étaient bien réels. Elle entendait des gens crier à l'extérieur.

Sur sa terrasse, elle ne voyait pas grand-chose, sinon un attroupement au bas de l'édifice B, qui était situé à droite du sien. Il ne semblait pas y avoir de corps étendu, donc pas de blessé, encore moins de mort, sinon il y aurait des scènes de panique. Geneviève se dit qu'elle saurait bien assez vite ce qui s'était passé. Il n'était que six heures du matin après tout. Et elle avait un terrible mal de tête.

En rentrant dans son studio, elle alla directement à la salle de bains prendre un cachet de Tylenol et un grand verre d'eau. Elle avait mauvaise mine. Elle n'avait pas pris le temps de se démaquiller, la veille, et le résultat ce matin était affligeant.

Elle entreprit de se nettoyer le visage, de brosser un peu ses cheveux en bataille, et de se rafraîchir. Alors seulement, elle osa aller affronter ce qu'il y avait dans son lit: un type qu'elle connaissait à peine.

Aimé Gaillard dormait paisiblement. Elle s'assit à côté, ne sachant trop quoi faire. Tout s'était passé très vite la veille. Ils étaient tous deux passablement ivres.

— Tu sais quoi ? lui avait-il dit.

— Non... quoi ?

— C'est la première fois...

— La première fois que quoi ?

— Que je couche avec une femme en pleine méno-pause...

Elle avait bien ri. Et lui avait dit que l'info était fausse. Elle avait tenté tant bien que mal de lui expliquer les circonstances de cette indiscrétion paternelle, mais en vain, il n'écoutait plus.

Mais voilà. On était le matin. Elle était vaguement mal à l'aise. Elle le connaissait à peine, elle ne savait même pas s'il était réellement libre, ou si sa boutade de l'avant-veille, sur son absence de fiancée, était réelle. «Mais à quoi bon s'en faire, se dit-elle. Aussi bien savourer le moment présent.»

Olessia était en train de composer un poème, qu'elle souhaitait envoyer à son bien-aimé avant neuf heures, lorsque son cellulaire sonna. Il était bien tôt pour être ainsi dérangée, un samedi de surcroît. Était-ce sa mère, qui l'appelait en détresse de Kiev ?

C'était plutôt la sécurité de l'hôtel.

— Nous avons un problème avec un de tes clients, Olessia.

Après avoir entendu les circonstances du «problème», Olessia poussa un petit cri.

— Il n'a pas fait ça, c'est pas possible... J'arrive.

À huit heures, Aimé Gaillard ronflait toujours. Geneviève, douchée et habillée, avait eu le temps de com-poser un haïku qu'elle trouvait particulièrement approprié.

Le carrelage brille,

Où sont passées les avenues illuminées ?

Demain l'herbe sera plus verte

Elle le posa sur la table du salon, puis alla s'asseoir à côté d'Aimé Gaillard. Elle l'embrassa sur la joue.

— Je dois aller au restaurant, j'y ai donné rendez-vous à mon père. C'est notre dernier matin. Il part ce soir. Toi aussi, au fait. Je te vois tantôt, OK ?

Il avait ouvert un œil, puis deux. Il s'étira et lui fit un large sourire.

— J'aurais bien déjeuné ici, avec toi. Mais bon. Un père passe avant le reste, j'imagine.

Il était adorable.

— Si tu m'attends, je vais revenir dans…

Elle regarda sa montre.

— …moins d'une heure. Et je te rapporterai des croissants. Et toutes sortes de bonnes choses que je prendrai au buffet. OK ?

Ni Marcel, ni Desneiges n'étaient au restaurant pour le déjeuner. Ils devaient être épuisés, se dit Geneviève, un peu contrariée. Avoir su, elle serait restée plus longtemps à son studio.

Olessia était attablée avec les deux enfants Pavlov. Geneviève alla la rejoindre.

— Tu fais du *babysitting*, ce matin ? demanda-t-elle en souriant.

À la tête que lui fit Olessia, elle comprit que l'heure n'était pas à la plaisanterie.

— Je vais m'en occuper une partie de la journée, même si je suis officiellement en congé. Pauvres petits. Leur père a pété un plomb ce matin.

Elle lui raconta que Seraphim Pavlov, dans un moment de rage excessive, avait arraché la cuvette de toilette et l'avait jetée de sa terrasse. Apparemment, le système installé pour tirer la chasse d'eau ne fonctionnait pas. Elle essayait de raconter ça sur le ton le plus neutre possible, pour que les enfants ne se rendent compte de rien. Même dans une langue qu'ils ne connaissaient pas, ils pourraient saisir l'ampleur du désastre paternel.

— Seraphim a dit pour sa défense qu'il avait regardé en bas avant de jeter le bol, et qu'il n'y avait personne. Ce qui n'est pas tout à fait vrai, parce qu'un vacancier sud-coréen, un très vieil homme, peu mobile, était tout près de là. Bo-Bae a dû gérer toute une crise avec sa famille.

— Bordel…

Bo-Bae, l'agente sud-coréenne, était adorable, mais peu douée pour les situations stressantes. Elle devait être dans tous ses états.

— Il n'y aura sûrement pas d'accusations formelles, sinon qu'il devra payer pour le matériel brisé. Je n'ai jamais eu un client comme ça… Et Dieu sait que j'en ai eu de toutes les couleurs, depuis le temps.

Geneviève se souvint tout à coup qu'Olessia voulait lui parler, la veille, d'un « malentendu ». Mais peut-être n'était-ce pas le bon moment.

— À part ça, les cuisines sont sens dessus dessous, poursuivit Olessia. Il n'y a plus de chef. Apparemment, Pep Bolufer s'est enfui en pleine nuit, en tout cas c'est ce qu'on raconte. Il aurait quitté le pays, vers une destination inconnue.

— Ah bon ? À cause des champignons empoisonnés d'hier ? Mais ça n'est quand même pas sa faute, non ?

— C'est à voir, apparemment…

— Bordel!

— Décidément, c'est ton expression favorite ce matin. Ah oui! Je voulais aussi te dire que...

— Attends, je vais aller voir ce que ma belle-mère fait là...

Geneviève venait d'apercevoir Desneiges sortir des cuisines, son cellulaire à la main. Ça n'était sans doute pas le moment d'aller filmer quoi que ce soit dans les circonstances.

— Ma belle fille, je suis allée donner un coup de main ce matin, dit Desneiges en l'apercevant. Tout le monde est débordé. Le chef a disparu.

— Oui, j'ai su ça, en effet. C'est bien mystérieux. Apparemment, sa fuite a à voir avec les champignons d'hier soir. Mais Desneiges, tu es en vacances, ici...

— Je sais, Geneviève, mais ils m'ont tous tellement aidée hier pour ma bouillabaisse, c'est la moindre des choses.

— Est-ce que papa dort encore?

— Je ne sais pas... Il n'a pas répondu à sa porte ce matin.

Desneiges semblait hésiter à poursuivre.

— Mais il va bien, ne t'inquiète pas, ma belle fille.

Geneviève la regarda bizarrement. Qu'est-ce qu'elle voulait dire, au juste?

— Je ne veux pas t'affoler avec ça, mais...

— Mais quoi? Desneiges, bordel!

Geneviève imaginait déjà un accident ou un arrêt cardiaque durant la nuit. À quatre-vingts ans, ce genre de chose était possible.

Mais la réalité était pire.

— Je l'ai vu entrer dans sa chambre hier soir en compagnie de l'une des sœurs Parenteau. La plus jeune, Arlette…

Geneviève fit une telle tête que Desneiges intervint immédiatement.

— Ne t'inquiète pas, c'est sûrement juste un *one night stand*. Elle est un peu jeune pour lui. Mon doudou, Geneviève, change d'air! Geneviève!

Elle réalisa qu'elle était en train de grimacer. Puis, elle se ressaisit. Elle chassa certaines images complètement déplacées qui lui venaient à l'esprit. Puis elle se répéta que son père avait le droit de faire ce qu'il voulait, après tout, il était majeur et vacciné. Elle voulait juste… *ne pas le savoir*.

— Je… Je vous revois tous les deux tout à l'heure, dit-elle à Desneiges. N'oubliez pas que vous m'avez promis juré, hier soir, qu'on irait tous ensemble au Parc écologique Indigenous Eyes… Vous ne pouvez pas rater ça.

Un peu secouée par ces informations non sollicitées, Geneviève alla au buffet se ravitailler : elle prit des croissants et des pâtisseries typiquement dominicaines, des fruits, du yogourt, et de l'omelette fraîchement préparée par Orlando, le meilleur dans ce travail. Faute de père, occupé à mieux, elle irait se blottir, avec ses victuailles, dans les bras de son nouvel amant-ami, elle ne savait trop comment qualifier Aimé Gaillard.

Les bras bien chargés, elle ouvrit la porte de son studio. Aimé n'était plus au lit, ni dans aucun recoin de son studio. Un seul coup d'œil suffisait à en faire le tour.

Elle déposa le déjeuner sur le comptoir. Elle entendait un bruit provenant de la salle de bains. Il devait être là. Et pas question de le déranger dans ce moment intime.

Elle avait déjà lu, dans un magazine de psychologie, que la salle de bains pouvait devenir un refuge lorsqu'un homme, ou une femme, se réveillait dans un lieu « non familier ».

Intervenir dans un moment aussi délicat, que le magazine qualifiait « d'acclimatation primaire », pouvait s'avérer non seulement inapproprié pour une nouvelle relation, mais carrément fatal.

Geneviève déballa la nourriture et la plaça dans les quelques assiettes qu'elle avait à sa disposition. Elle mit en marche la machine à café. Son bruit ainsi que les odeurs de la bouffe allaient sûrement faire sortir Aimé de son « refuge » émotif. Elle le souhaitait, car elle commençait à avoir sérieusement envie.

En attendant, elle s'assit sur son sofa, et prit un roman qu'elle avait commencé – et abandonné – un mois plus tôt.

La sonnerie de son cellulaire la réveilla. Elle s'était assoupie, à sa grande surprise. Avant de répondre, elle eut le temps de voir qu'il était déjà neuf heures trente.

— Hmmm... allo ?

— Geneviève ? C'est Aimé.

— Aimé ? Aimé, sors des toilettes, je t'en supplie. Je sais que c'est important pour ton... acclimatation, mais... j'ai tellement envie !

— Geneviève... euh, je voulais juste te dire que j'ai dû aller d'urgence au poste de police de Bavaro. On a des problèmes à régler, pour le dossier David Simard. Il faut préparer l'extradition, et ça sera pas simple. Pire que ce qu'on croyait. Je vais probablement y passer la journée.

— Oh...

Geneviève ne pouvait pas cacher sa déception. Il partait dans la nuit, dans le même vol que son père. Leur relation resterait plus qu'à l'état embryonnaire, elle serait carrément « anté-nidation ».

— On se voit en soirée, OK ?

— Oui, je veux bien, mais tu dois quitter l'hôtel vers vingt et une heures, non ?

Même si leur vol ne partait pas avant trois heures du matin, les passagers étaient amenés à l'aéroport très tôt. Trop.

— Ben non, j'ai pas fini, ici. J'en ai encore pour quelques jours à faire la liaison entre les différents corps policiers.

— OK, tu ne repars pas ce soir !

Dieu merci ! avait-elle envie de dire.

— Non, je reprends un vol régulier quelque part en début de semaine. Quand j'aurai fini ici.

— OK, alors à plus tard…

— Oui, à plus tard… Avant de raccrocher, j'ai trouvé un message crypté sur ta table de salon. Voulais-tu me dire quelque chose ?

Geneviève se souvint de son dernier haïku, très réussi selon elle, qu'elle avait écrit le matin même.

— Non, il n'y a pas de message particulier. C'est un haïku.

— OK. À plus tard, Geneviève.

En raccrochant, elle se rua dans sa salle de bains. Elle vit avec surprise un des chats du Clan Corleone, affalé sur le tapis. « OK, c'est toi qui faisait du bruit tout à l'heure, dit-elle en soulevant le chat. Je t'ai pris pour quelqu'un d'autre, tu vois ? Et tu ne peux pas rester ici… »

La journée allait être très longue. Elle devait passer à son bureau quelques heures, afin de s'assurer que tous ses clients enclenchaient le processus de transfert de leurs bagages vers la chambre prévue à leur entreposage.

Elle en profita pour téléphoner à la boutique *Loco Party Lococo* pour s'enquérir de leur grave égarement de la veille. Comment avait-on pu mettre de véritables outils dans une piñata? demanda-t-elle. Un homme avait été assommé. Dieu merci aucun enfant ne traînait par là.

Mis au fait de la situation, le propriétaire lui assura qu'il allait faire enquête rapidement. «*Sure*», se dit-elle. Mais une trentaine de minutes plus tard, il la rappelait. Il était visiblement penaud.

— Il est arrivé quelque chose d'un peu fou, dit-il.

«Vous m'en direz tant!» se dit Geneviève.

— La boutique reçoit des subventions du gouvernement pour embaucher des handicapés. Nous avons déjà une secrétaire en fauteuil roulant, et un manutentionnaire aveugle. Mon gérant m'a convaincu que c'était une bonne idée d'embaucher un jeune commis malentendant. Tout se passait bien avec lui. Jusqu'à votre commande... Notre jeune sourd n'a pas bien saisi ce que lui a dit notre gérant. Il m'avait pourtant dit qu'il avait des notions en langage des signes...

Un malentendu de malentendant, se dit Geneviève.

— C'est la première fois que ça arrive... Nous sommes une petite entreprise qui croit en un monde meilleur, dit le propriétaire, visiblement pour l'amadouer.

Il offrit à Geneviève une nouvelle piñata, remplie de ce qu'elle voudrait bien y mettre.

— Nous avons des modèles de luxe, lui dit-il.

Geneviève se demanda bien ce qu'elle ferait d'une piñata à l'avenir, encore plus d'un modèle de luxe. Il y avait bien son cinquantième anniversaire à l'horizon, mais elle n'aurait sûrement pas envie de célébrer, plutôt de se terrer dans son studio. Mais comme elle était dans de très bonnes dispositions, elle remercia le propriétaire du *Loco Party Lococo*, et le félicita même pour son exemplaire implication dans l'insertion sociale de personnes handicapées.

La sortie vers le parc écologique était prévue pour le début de l'après-midi. Elle frémit en pensant que son père y amènerait peut-être sa nouvelle petite amie.

Mais les triplettes avaient d'autres plans pour la journée. Pauline l'attendait à son bureau.

— Bonjour Geneviève, vous nous avez parlé hier d'un prêtre qui officiait dans le coin?

— Oui, Padre Esteban…

— Est-ce possible de l'avoir cet après-midi? Nous voudrions rendre un dernier hommage à notre mère, avant de quitter la République dominicaine. Quelque chose de plus religieux…

— Oui, bien sûr. Je vais le contacter tout de suite, et on verra s'il est disponible après-midi. C'est samedi, il y a toujours plusieurs mariages.

Elle joignit Padre Esteban sur son cellulaire. Il avait effectivement trois mariages dans la journée, dont un avait déjà eu lieu tôt le matin, les mariés devant prendre leur vol de retour précipitamment, en raison d'un décès dans la famille. Il pourrait célébrer cet enterrement en fin de journée, vers seize heures.

— Ils ont apporté le cercueil au Princess Azul? C'est curieux…

Geneviève lui expliqua la réalité, plus prosaïque. Il y avait des cendres, mais elles avaient disparu. Restait une fausse urne.

Pauline quitta au moment où les quatre ados lavallois entraient dans son bureau. Ils voulaient profiter de leur dernière journée à Punta Cana pour aller «nager avec les dauphins». Geneviève les regarda, attendrie. Ils ressemblaient en tout point à son Balthazar, deux ou trois ans auparavant. La même allure déglinguée, un restant d'acné, les membres pas encore tout à fait équilibrés, quoique en voie de.

Elle leur acheta quatre billets pour l'après-midi. Et leur rappela de ne pas être en retard pour le départ vers l'aéroport, en soirée.

Elle avait d'ailleurs réussi à parler à Balthazar, le matin même, tout juste avant de venir au bureau.

Il était apparu sur Skype avec son air de garçon qui a fait un mauvais coup. Un air que Geneviève connaissait bien.

Mais Balthazar avait de la chance. Sa mère était d'une humeur splendide ce matin-là. Il le voyait bien.

— Tu as l'air en pleine forme, maman. Le séjour de grand-papa t'a fait du bien à ce que je vois.

Geneviève sourit, mais ne précisa pas ce qui lui avait réellement fait du bien. Elle alla droit au but.

— Balthazar, mon loup... Qu'est-ce qui t'a pris de te faire passer pour un handicapé? N'essaie même pas de nier, un bijoutier libanais m'a tout traduit.

Son fils accentua son air contrit.

— C'était une blague au départ. J'ai fait des photos avec Max et Alex, on a mis ça en ligne, pour rire, et puis un matin, j'ai reçu un courriel d'une fondation...

La Fondation de la princesse Leila Baba Ben El Yameni lui offrait un appui financier, et même, l'achat d'une de ses toiles. Elle avait choisi *Joie et Chaos, mamelles obscures,* qui représentait bien, selon la princesse, «la souffrance inhérente à son état physique».

— J'ai cru à une blague, maman. Une blague sur ma blague. Mais il y avait un long questionnaire à remplir, sur les circonstances de mon handicap, et je devais même laisser mon numéro de compte bancaire pour le premier versement!

Balthazar avait cru un moment avoir reçu l'un de ces courriels où des Nigérians, ou encore des Ivoiriens, devenus très riches dans des circonstances toujours rocambolesques, offraient dix pour cent de leur colossale fortune en échange d'un numéro de compte bancaire.

Mais la Fondation qatarie était bel et bien sérieuse. Balthazar reçut un premier versement, puis un second. Et *Joie et Chaos, mamelles obscures* avait été expédiée au Qatar, par avion.

— Mais chéri, c'est du vol!

— Je leur ai juste vendu un tableau! La Fondation m'a payé ce qu'elle valait à leurs yeux, c'est tout. C'est ça, l'art moderne, maman. Tu vaux ce qu'on est prêt à payer pour toi. C'est du *business*, c'est tout.

— Mais c'est de la fausse représentation! On te paye *d'abord* parce qu'on te croit handicapé.

Balthazar prit un air faussement insulté.

— Maman, ma toile a une valeur intrinsèque, qu'importe ma condition physique. Il faut que tu me fasses confiance.

— Mais je te fais confiance, bordel. Peux-tu juste commencer ta carrière d'artiste autrement qu'en te faisant passer pour handicapé?

— C'est fait, maman. Je n'ai pas renouvelé le formulaire attestant de mon statut permanent d'handicapé.

Geneviève ne voulut pas trop entrer dans les détails sur ledit statut «permanent», mais se réjouit que son fils semblât dans le droit chemin. Il était temps de faire du renforcement positif, comme elle l'avait toujours fait.

— Tu me rassures, Balthazar. En passant, ton site Web est très professionnel, bravo. Est-ce que ta sœur est à la maison?

— Oui, mais elle dort encore.

— Poutrar Shah s'est-il trouvé un autre refuge?

— Poutrar? Tu veux dire Ambar? Non, Ambar est toujours parmi nous.

— Et qu'est-ce qu'il fait en ce moment, Ambar?

— Il dort lui aussi.

Balthazar semblait mal à l'aise.

— OK, merci chéri, répondit rapidement Geneviève. Je ne veux pas en savoir davantage. J'essaie de vous parler tous les deux demain en soirée, comme d'habitude.

Après le départ des quatre ados, Geneviève fut curieuse de connaître l'état de santé de Federico del Prado. Il était rarement à son bureau, le samedi, alors c'était inutile de faire semblant de passer devant. Elle n'osait pas non plus téléphoner à son assistante, Paloma. Ça paraîtrait mal.

Mais Alicia Flores mit fin à ses tergiversations: elle convoquait le personnel à une courte réunion d'urgence, un peu avant midi, au centre des congrès, afin de «faire le point sur les derniers développements au Princess Azul».

Elle était accompagnée de Sabrina Peres.

D'emblée, la directrice de la salubrité du Princess Azul annonça le «départ» du chef catalan, Pep Bolufer, pour des «raisons personnelles».

— Il veut sûrement se consacrer davantage à sa famille, dit Geneviève à Sylvia, qui pouffa de rire.

— Ou relever de nouveaux défis!

— Mercedes prend le relais aux cuisines, en attendant le recrutement d'un ou d'une chef, poursuivit Alicia Flores. Maintenant, Sabrina Peres aimerait vous parler d'une question un peu... sensible.

Cette dernière projeta sur un écran géant la page Facebook du Princess Azul de Punta Cana.

— Vous voyez cette page? Elle a l'air normale, avec ses couchers de soleil, la plage, le buffet, des photos du spectacle des employés d'hier soir, et tout le reste. Eh bien! Ce matin, j'ai dû intervenir d'urgence pour détruire une vidéo qui y avait été mise.

Un murmure parcourut la petite assemblée.

— Hier, il y avait une petite fête au restaurant, pour l'anniversaire d'un client. Certains d'entre vous, qui étaient présents, savent sûrement que notre directeur général a eu un malaise. Eh bien! quelqu'un a eu la brillante idée de diffuser une vidéo de cet... épisode, ce matin, sur notre page Facebook. Bien sûr, il peut s'agir d'un de nos chers clients. Mais il peut s'agir aussi d'un membre de notre personnel. Si tel est le cas, je demanderais à cette personne de détruire la source de la vidéo, sur YouTube. Je ne peux évidemment pas le faire.

Un nouveau murmure parcourut l'assemblée.

— Je VEUX voir cette vidéo, glissa Sylvia à l'oreille de Geneviève. Maintenant!

— Bien sûr, tout ça restera entre nous, s'empressa d'ajouter Alicia Flores.

La vidéo, intitulée *General Manager gets mad*, avait déjà 23 456 visionnements, ce qui était beaucoup. C'est l'un des animateurs de plage qui avait envoyé le lien à Sylvia, qui avait beaucoup insisté pour l'obtenir.

Geneviève se sentait comme une gamine en train de faire un mauvais coup. Et revoir cette vidéo, au moment où les images de Federico del Prado faisant un fou de lui s'atténuaient dans son esprit, n'était sans doute pas une bonne idée.

Mais la tentation était trop forte.

La personne qui l'avait mise en ligne avait fait un petit montage que d'aucuns auraient trouvé très drôle. Mais pas Geneviève. Le directeur général était encore plus ridicule qu'au moment des faits, ce qui était extrêmement difficile, il fallait bien l'avouer. Les images, en accéléré, au ralenti, à reculons ou pire, répétées en boucle, étaient dévastatrices pour l'image de Federico del Prado. La palme revenait à celle où il enfouissait son visage dans la poitrine généreuse de Desneiges, en gémissant le nom de Carmela. L'auteur de la vidéo avait ajouté, par-dessus les images, le son d'un nourrisson en pleine tétée. Lorsqu'on voyait del Prado Mayor faire semblant de jouer de la guitare électrique, grimpé sur une table, on entendait un solo de heavy metal. Heureusement, le nom du directeur général n'était mentionné nulle part. Ni le lieu exact. Seule la mention du Princess Azul apparaissait, mais il y en avait une cinquantaine dans le monde.

Les commentaires étaient aussi très affligeants.

— Il faut absolument détruire cette vidéo...

— On ne peut pas, Gen. Seul celui qui l'a mis peut l'enlever. Et on ignore c'est qui. Ça appartient désormais au patrimoine de l'humanité...

Geneviève essayait de se rappeler qui filmait lors de la fête de la veille. Dans les faits, tout le monde avait, à un moment ou à un autre, un appareil photo ou un cellulaire entre les mains.

Pour se consoler, elle se dit qu'elle n'était pas, après tout, gestionnaire de l'image de Federico Armando del Prado Mayor.

—Bon, je dois te laisser Gen. J'ai des clients qui m'attendent. Ils se sont fait voler tous leurs maillots de bain, dans leur chambre, je dois aller voir ce que l'hôtel a en stock.

L'excursion au Parc écologique Indigenous Eyes fut un pur moment de bonheur. Depuis son arrivée, Marcel était sorti à peine une heure du Princess Azul, le temps d'aller et de revenir du marché d'artisanat. Desneiges avait certes été plus aventureuse, trop sans doute, mais cette expédition se déroula sans heurts, contrairement à la précédente, qui s'était terminée dans une rivière.

Geneviève loua trois Segway. Il fallut apprendre à Marcel et à Desneiges à se servir de l'engin, mais une fois leur équilibre trouvé, ils purent s'enfoncer dans les sentiers du parc. Ils s'arrêtèrent aux bassins, remplis de nénuphars et de batraciens, et observèrent les oiseaux. Un écriteau à l'entrée du parc spécifiait aux visiteurs qu'ils allaient à la rencontre d'espèces rarissimes et spectaculaires, certaines même en danger d'extinction. Mais aucun des trois ne put identifier une seule espèce. Ils prirent néanmoins des tonnes de photos.

Le parcours prit deux fois plus de temps que d'habitude, puisque Desneiges s'arrêtait constamment pour filmer et commenter ce qu'elle voyait. Elle songeait à inclure un onglet «nature» à labonnebouffe.com. Un lieu, dit-elle, où ses internautes pourraient se «ressourcer» entre deux recettes de cuisine.

Marcel avait insisté pour revenir à temps pour assister à la petite cérémonie religieuse organisée par les triplettes de Blainville en l'honneur de leur mère.

À seize heures, une vingtaine de personnes, essentiellement des personnes âgées qui avaient côtoyé les triplettes durant leur semaine au Princess Azul, mais aussi de purs inconnus, attirés par la cérémonie, s'étaient rassemblées pour rendre hommage à Églantine Parenteau, née Gladu.

La cérémonie avait lieu dans l'un des jardins que l'hôtel mettait à la disposition des clients pour les événements dits « de petite envergure ». Sinon, il fallait désormais aller à la salle des congrès.

L'endroit était magnifique. La végétation, luxuriante, comptait même quelques bananiers et les hibiscus étaient en fleurs à cette période de l'année. Il y avait un étang. Les participants s'étaient spontanément réunis sur ses bords.

Arlette portait l'urne de Mickey Mouse. Padre Esteban, un homme dans la cinquantaine, avait la peau *canela* et une coiffure afro comme on en voyait dans les années quatre-vingts. Il transpirait la bonté, se dit Geneviève, qui l'avait croisé quelques fois, mais n'avait jamais assisté à une cérémonie. Et il transpirait tout court, comme en témoignaient les immenses cernes qui tachaient sa robe d'officiant. Il faisait une chaleur accablante.

Padre Esteban commença la messe, en espagnol, une langue que peu d'invités comprenaient, mais ça n'était qu'un détail. Après tout, des générations de catholiques avaient assisté à des messes en latin sans que cela n'entame leur foi ni leur compréhension divine.

Geneviève jetait des coups d'œil à la dérobée à son père, puis à Arlette. Rien. Ils n'échangeaient pas de regard complice, encore moins concupiscent. Peut-être Desneiges avait rêvé tout ça, après tout.

Le prêtre prit l'urne de Mickey, et la bénit en y jetant quelques gouttes d'eau qu'il prit à même l'étang. Geneviève avait l'impression qu'il improvisait un peu son rituel, sans doute déstabilisé par l'objet « sacré » qu'il avait devant lui.

Alors qu'on était en pleine célébration, l'attention de Geneviève fut attirée par une arrivée aussi imprévisible qu'impromptue : celle de Federico del Prado. Le directeur venait se joindre à la petite assemblée. Il était tout de blanc vêtu, comme un premier communiant. Il se dirigea tout d'abord vers Padre Esteban, qu'il serra dans ses bras alors qu'il était en train de réciter une prière. Puis, il baisa son front, et se mit à genoux. Il joignit ses mains devant lui, et se mit à prier à voix basse.

— C'est pas ton patron, encore ? Y'a pas fini ses folies d'hier soir ? lui glissa son père. À tout événement, votre hôtel va faire faillite s'il est dirigé par un zinzin.

— Papa ! Il est peut-être simplement très pratiquant.

Padre Esteban lui-même sembla surpris. Puis, il poursuivit ses prières, et entreprit de bénir ses hosties.

Toujours à genoux, Federico del Prado semblait faire abstraction du monde qui l'entourait. On voyait ses lèvres remuer frénétiquement.

La communion donna lieu à un autre moment pour le moins inusité. Au moment où il allait accepter l'hostie, le directeur général fit marche arrière, comme s'il était l'Antéchrist en personne, et alla plonger dans l'étang, tout habillé.

Il en sortit rapidement, puis retourna vers Padre Esteban, son habit blanc dégoulinant, quelques nénuphars restant accrochés sur ses pantalons et dans sa chevelure. Il glissa l'hostie dans sa bouche, en fermant les yeux.

Il se remit à genoux, cette fois un peu à l'écart, et resta dans cette position pour le reste de la cérémonie.

—Tu devrais aller chercher la docteure chinoise qui était là hier soir, lui glissa Desneiges à l'oreille.

—Il avait chaud, le monsieur, dit César, hilare.

Il s'esclaffa. Les triplettes lui lancèrent un regard de feu, ce qui eut pour effet de le calmer.

Là-dessus, Pauline s'avança vers Padre Esteban et lui reprit délicatement l'urne, qu'il tenait à nouveau dans les bras.

—Merci à tous d'être là, dit-elle. Maman nous a fait passer par beaucoup d'émotions, cette semaine, mes sœurs et moi. Mais tout compte fait, même si nous ne savons pas où elles sont exactement, nous avons une certitude : les cendres de maman sont bel et bien ici, à Punta Cana.

«Probablement dans un égout de Bavaro», se dit Geneviève.

—Et c'était ça son souhait, poursuivit Pauline. Être ici. Alors maman, te voilà comblée !

La petite assemblée applaudit.

Et Federico del Prado éclata en sanglots.

—Rhénébièbé, je te rassure, les effets d'un champignon magique, surtout comme celui qu'a ingurgité le directeur général, peuvent durer jusqu'à vingt-quatre heures.

Sitôt la cérémonie terminée, Geneviève avait joint docteure Thu sur son cellulaire. La médecin avait pris l'appel alors qu'elle se trouvait en parapente, en plein vol. Geneviève entendait le bruit du vent, et le claquement de la voile. Elle lui avait raconté ce qui venait d'arriver durant la messe en l'honneur d'Églantine Parenteau.

— Ce champignon est l'un des plus toxiques connus sur Terre! On en a retrouvé dans le jardin que cultivait Pep Bolufer. Ce chef était un vrai malade...

— Alors il aurait vraiment fait exprès pour empoisonner... ma belle-mère?

— Je ne sais pas qui est ta belle-mère, Rhénébièbé, on m'a simplement dit aux cuisines qu'il était devenu complètement obsédé par une des clientes de l'hôtel, une Canadienne âgée, et un peu corpulente à ce que je sais. Il avait dosé la quantité de champignons pour son poids, alors imagine...

— Desneiges... Il a vraiment voulu empoisonner Desneiges...

— Qu'est-ce que tu dis? Je te comprends pas, je crois que la ligne est mauvaise, je te laisse. Mais rassure-toi. Le directeur général va retrouver tous ses esprits.

Geneviève raccrocha, choquée. C'est comme si des gens qui lui étaient proches provoquaient des événements en chaîne qui finissaient toujours par porter préjudice à Federico del Prado Mayor. Inévitablement, le directeur général saurait pour la «vieille Canadienne», comme il avait su pour son client, Stéphane Dicaire, qui l'avait enseveli avec un tracteur, cinq mois plus tôt.

Comment réagirait-il, cette fois? Geneviève souhaitait sincèrement que ce fut le dernier incident.

Aimé Gaillard se pointa au restaurant, au moment où Geneviève prenait son dernier repas avec son père et sa belle-mère.

Les deux étaient inquiets de rater l'avion. Ça faisait un bon deux heures que Geneviève les rassurait.

Contrairement à un samedi normal, où elle allait dormir quelques heures avant d'aller chercher son nouveau groupe à l'aéroport, elle passerait la soirée avec ses deux invités spéciaux. Tant pis. Elle serait comateuse demain, dimanche.

Geneviève fit signe à Aimé Gaillard de venir s'asseoir avec eux.

— Tu as mangé?

— Non, je vais aller faire un tour au buffet.

— Je t'accompagne.

Il remplit son assiette comme s'il n'avait pas mangé depuis plusieurs jours. Geneviève trottait derrière lui, se sentant un peu inutile, et quelque peu mal à l'aise. Lui aussi semblait l'être. Contrairement à la veille, ils étaient à jeun, en fait presque, Geneviève avait bien pris deux verres de vin au souper en compagnie de Marcel et de Desneiges.

— Qu'est-ce qu'un haïku? demanda Aimé, tandis qu'il se servait d'une quantité invraisemblable de salade.

— Un genre de poème japonais. C'est un exercice mental que j'essaie de m'imposer une fois par jour. Il s'agit de saisir l'évanescence des choses en quelques mots seulement.

— C'était... joli, quoiqu'incompréhensible, répondit Aimé en souriant.

L'atmosphère se détendait.

— Tu peux m'en écrire un ce soir?

— Oui, bien sûr... Mais ça ira plus à cette nuit. Je ne serai pas de retour dans ma chambre, en fait, avant les petites heures du matin.

— Alors tu me réveilleras.

« Avec plaisir », se dit Geneviève.

— Tu seras dans ta chambre... ou dans la mienne?

Olessia arriva à ce moment-là, un peu fébrile.

— Geneviève! J'ai eu peur de rater le départ de ton père!

— De... mon père? Euh, non, il est toujours là.

Pourquoi Olessia craignait-elle de rater son père?

Ils allèrent tous trois s'asseoir avec Marcel et Desneiges. Celle-ci questionnait sans relâche Aimé Gaillard. En quoi consistait exactement son travail? Avait-il des enfants? Une femme?

Il rougit à cette question et répondit par la négative.

— Divorcé. Et ça fait un bail.

— Mais un beau brin d'homme comme vous devez bien avoir une petite madame au four, quand même?

Geneviève était horrifiée du langage cru de sa belle-mère.

Était-ce la lecture de *Cinquante nuances de Grey*? Un peu plus tôt dans l'après-midi, son père lui avait raconté, secoué, que Desneiges avait fait des avances extrêmement directes à César, la veille, lorsqu'il était allé la reconduire. Marcel n'osait lui répéter les «mots utilisés», comme il le disait lui-même, mais Desneiges avait son roman à la main et semblait en lire des passages.

— Et qu'a fait César? demanda Geneviève, qui regretta aussitôt sa question. Elle ne voulait pas vraiment le savoir.

— Il m'a dit que Desneiges s'était endormie subitement, aussitôt entrée dans sa chambre.

«Et toi? se dit Geneviève intérieurement. Quel genre de conversation as-tu eue avec Arlette Parenteau?»

— Desneiges a bien dû se réveiller à un moment donné, poursuivit son père, puisque je l'ai vue sur le seuil de sa porte, très tard. J'étais… j'étais en compagnie d'une des dames Parenteau.

Geneviève avait eu envie de se boucher les oreilles, mais son père poursuivit.

— On a pris un petit *drink* sur la terrasse, mais Arlette est rentrée dans sa chambre.

Il se justifiait. Desneiges lui avait-elle raconté la réaction quelque peu excessive de sa fille, le matin?

Sa belle-mère était justement en train de répéter sa question, mais sous une autre forme, à Aimé Gaillard. Il n'était plus question de «madame au four», mais plutôt de «petits plats à déguster».

Heureusement, il était temps de partir.

Geneviève se leva.

— Bon, il faut dire au revoir au Princess Azul, maintenant.

Marcel alla embrasser Olessia sur les joues. Il la serra tendrement dans ses bras.

— À tout événement, Olessia, vous êtes un peu comme la famille, maintenant.

Cette effusion de son père étonnait une fois de plus Geneviève. Elle ne comprenait pas un pareil attachement pour sa collègue ukrainienne, en si peu de temps, et vice versa.

— Merci, Marcel, répondit-elle avec son joli accent un peu chantant.

— J'espère que la visite du petit Michel va bien se passer…

Olessia devint écarlate. Elle se tourna vers Geneviève.

— Geneviève, je voulais te dire… Ça fait un moment déjà que…

— Olessia et le petit Michel sont amoureux, ma fille. Il vient la voir ici, au Princess Azul, en mai. Ils vont même peut-être se marier !

Marcel semblait ravi.

Geneviève ouvrit la bouche, incrédule. Et elle qui croyait que… Mon Dieu, Pierre Sansregret avait dû la prendre pour une folle dans son dernier courriel. Pas étonnant qu'il n'ait pas répondu. C'était donc ça, le petit colis que son père avait remis à Olessia le jour de son arrivée. Et son allusion au retour d'un Pierre amoureux à l'hôtel.

— Ça a commencé par un échange épistolaire banal, dit Olessia. Je m'excusais de l'avoir si brutalement assommé. Puis, il m'a répondu que c'était rien, et que ça lui avait permis de faire ma connaissance. Et de fil en aiguille, on s'est écrit de plus en plus souvent, je lui ai envoyé des poèmes, lui aussi, et le ton s'est enflammé, et… voilà. On sort ensemble. On se *skype* aux deux jours, dépendant de son travail, tu sais qu'il est très occupé. Je ne savais pas trop comment t'en parler, je croyais que tu avais peut-être encore des sentiments pour lui… Il est tellement exceptionnel, cet homme, quelle femme n'en tombe pas amoureuse ?

Marcel acquiesçait vigoureusement de la tête.

— Il est exceptionnel, le petit Michel.

Geneviève se sentit plus légère. Elle avait fait une folle d'elle, mais au moins, la conclusion était positive. Elle aimait bien Pierre, et appréciait énormément Olessia. Ça ferait un ajout positif dans la famille.

— Pierre t'a parlé du courriel que je lui ai envoyé jeudi ?, demanda Geneviève. Désolée, mais c'est que papa m'a dit…

— Je sais. C'est pas grave. Il était vraiment temps que je t'en parle. Je crois que Pierre et moi, c'est pour un bon bout de temps.

Décidément, c'était une journée sous le signe de l'amour.

Dans le bus, elle vit France Tremblay, installé sur un siège au milieu du véhicule, et alla s'enquérir de lui.

— Ça va, lui dit-il. J'ai encore mal à la tête, mais ça se contrôle avec des Tylenol. Ma morsure à la fesse gauche et ma coupure à la cuisse, par contre, sont encore très douloureuses.

— Vous n'avez pas eu de chance, cette semaine, France...

— Ne vous en faites pas. J'ai un peu l'habitude.

— Je ne sais pas comment ça teintera votre étude universitaire... Et avec tout ça, je n'ai pas rempli votre questionnaire.

— Ça n'est pas grave.

— Envoyez-le-moi par courriel. Je le compléterai cette semaine, sans faute.

Geneviève aida Marcel et Desneiges à enregistrer leurs bagages, puis ils allèrent s'installer au café de l'aéroport, en vue de ce qui allait être une longue soirée.

D'autant plus que tout le monde était exténué.

Geneviève se sentait à la fois triste et angoissée à l'idée de voir repartir son père. Mais il y avait Aimé Gaillard qui l'attendait au Princess Azul...

— Grosse journée, Geneviève?

Jacinthe Bisson était venue la saluer.

— Oui, et elle n'est pas finie... Alors, ce congrès de synergologie, ça a été? demanda Geneviève.

— Franchement, oui. Nous avons passé à travers une série de nouvelles découvertes vraiment fascinantes. Par exemple, sais-tu ce que tu démontres, en ce moment, en soulevant légèrement ton index et en abaissant ton majeur?

— Euh... non?

— Eh bien! Rien du tout! C'était une blague!

Jacinthe partit d'un grand éclat de rire.

De l'humour de synergologues, se dit Geneviève en feignant de trouver cela extrêmement drôle.

— Sans blague, je dois t'avouer que ces rencontres internationales donnent lieu à toutes sortes de situations cocasses. Nos collègues asiatiques, par exemple, n'interprètent pas les gestes corporels de la même manière que nous. C'est dû au fait qu'ils lisent à l'envers. Il faut donc faire bien attention. Il y a eu plusieurs quiproquos durant ce congrès. Et je te dis pas entre les Japonais et des collègues argentins. On a failli avoir un incident diplomatique grave. En tout cas, ça été un plaisir de te connaître Geneviève.

Avant de retourner rejoindre son groupe, Jacinthe Bisson se pencha vers elle.

— Ah oui, je voulais aussi te dire, Geneviève. Toi et ton gars, hier soir. Eh bien! J'ai cru voir des pupilles bien dilatées, ma belle.

Alors que le groupe était toujours attablé au café de l'aéroport, en attendant l'appel pour franchir les dernières mesures de sécurité, un bruit provenant du côté sud-est attira l'attention. Chorizo avait renversé une poubelle et était en train d'en dévorer le contenu.

L'agent R. Ezbequiel l'interpellait en riant. Pendant ce temps, l'autre chien, Salsichon, faisait son véritable travail. Il arpentait la salle d'attente, reniflait les sacs et lorgnait les voyageurs, aux aguets.

Chorizo portait un nouveau foulard, ce soir-là, dans les teintes de gris et de bleu métallique. Très coquet. Les couleurs rehaussaient son pelage.

— Il est quand même mignon, ce chien, dit Geneviève.

— Mignon ? Vraiment ?

France Tremblay, qui était assis non loin de là, se raidissait.

— Je vous comprends, France. C'est normal que vous ne le portiez pas dans votre cœur. Il a été excessif à votre endroit. Brutal, même. Mais quand on connaît Chorizo, on finit par l'aimer. Il est tellement... humain en quelque part, avec ses doutes, ses névroses, ses manies...

Chorizo se déplaçait justement vers Geneviève. Il avait les yeux pétillants de bonheur. Dans sa gueule, les restes d'une *empanada*.

— Vous allez voir, chère Geneviève, que je peux surmonter mes traumatismes, dit France Tremblay en se levant. Je vais aller caresser ce beau toutou.

— Vous êtes certain, France ?

— Regardez-moi bien aller.

France s'approcha du chien.

— Viens toutou... Chorizo, c'est ça ? Approche Chorizo... Viens mon bon chien.

Le berger allemand était de fort bonne humeur. Sa queue frétillait dans tous les sens, il avait le museau humide et les yeux remplis de bonhommie. France se planta devant lui. Puis, il mit une serviette de table sur son visage et leva les bras en l'air.

— Boooouhou... je suis un fantôme, Chorizo... Boooouhou...

Chorizo se figea. Ses yeux se révulsèrent. Il émit un petit gémissement, puis il tomba sur le côté, les pattes en l'air.

— Chorizo! cria Geneviève en se jetant sur le chien.

Il était raide.

— Bordel, Chorizo! Chorizo réponds! Y a-t-il un médecin dans la salle? cria-t-elle en se retournant.

R. Ezbequiel, ameuté par ses cris, courut vers elle, accompagné de deux autres agents. Les trois se jetèrent sur le chien, toujours raide. L'un deux le secoua dans tous les sens. Un autre lui massa le cœur. L'équipe médicale de l'aéroport fut appelée sur les lieux. Tout fut tenté pour ramener Chorizo à la vie.

En vain.

— Il est mort, annonça l'infirmier qui était de garde, après de longues minutes d'interventions de toutes sortes sur l'animal. Ça semble être une crise cardiaque. Est-ce qu'il a eu un choc, une frousse?

Les policiers présents se mirent à sangloter. L'un deux caressait le corps inerte de Chorizo, de grosses larmes dégoulinant sur ses joues rebondies.

— Il a eu peur d'un fantôme, dit Geneviève, en se tournant vers France Tremblay. Mais le professeur semblait déjà tellement accablé par les événements, qu'elle n'insista pas.

— Mais c'est pas possible… Je lui ai juste fait un petit «bouhou!» de fantôme. Qui meurt après un petit «bouhou!» comme ça? Qui? Pourquoi le chien est mort après un petit «bouhou»? Pourquoi? Pourquoi ça arrive à moi?

France Tremblay était au bord de la crise de nerf.

On mit Chorizo sur une civière, et on l'enveloppa d'une couverture de la Croix-Rouge.

Geneviève se mit à pleurer.

— Allons ma fille, ça va aller, lui dit Marcel en la prenant dans ses bras frêles.

Mais ça n'était que le prélude au torrent de larmes qui accompagna ses adieux à son père, quelques minutes plus tard.

— Ça va aller ma fille, on se revoit bientôt. À tout événement, cet été.

— Je te téléphone demain, OK? répondit Geneviève entre deux sanglots.

Elle alla embrasser Desneiges, émue aux larmes elle aussi.

— J'ai passé une semaine extraordinaire, ma belle Geneviève, dit-elle en l'écrasant sur sa poitrine. Merci pour tout. Tu sais que tu resteras toujours une de mes belles-filles préférées.

Geneviève avait de la compétition à ce chapitre. Les cinq garçons de Desneiges avaient cumulé les copines, blondes ou épouses, officielles ou pas, et elle s'était attachée à plusieurs d'entre elles.

— Allez, va rejoindre ton espion, poursuivit son ex-belle-mère.

Elle lui fit un clin d'œil.

— Tu as monté d'un cran par rapport au précédent, je peux te le dire.

Les portes automatiques venaient de se fermer sur les derniers voyageurs de la semaine. Celles des arrivées s'ouvrirent sur une centaine de passagers hagards, visiblement épuisés, et de mauvaise humeur.

Geneviève portait l'urne de Mickey Mouse dans ses bras. Les triplettes avaient décidé de la rapporter à Blainville. L'une d'elles, Cécile, l'avait mise dans son bagage à main, afin d'éviter qu'elle ne se brise au fond de sa valise. Mais la sécurité avait saisi l'objet, le jugeant compromettant : il pourrait servir à assommer le personnel de bord, voire, une fois brisé, à égorger un ou plusieurs pilotes.

— Je vous le rapporterai cet été, sans faute, avait promis Geneviève.

Parmi les nouveaux vacanciers, une jeune femme suscitait beaucoup d'attention, et avec raison. Elle était non seulement jeune et très jolie, mais elle était suivie de près par trois photographes qui semblaient des professionnels.

Chrystal-Lyne était de retour. Geneviève avait appris qu'elle avait été éjectée de la maison d'*Une chance pour l'amour*, l'avant-veille, et mise sur un avion en direction de Montréal. Elle n'avait pas perdu de temps...

— Geneviève, regarde ça comme c'est curieux, lui dit Rosie. Ça vient d'arriver sur mon fil Twitter.

C'était une dépêche.

Quatre dauphins prennent le large à Punta Cana

(AFP) Quatre dauphins appartenant au Manatí Park, un centre récréo-touristique de Punta Cana, une station balnéaire située au sud-est de la République dominicaine, ont pris le large, en début de soirée (23h00GMT). Leur disparition a été constatée au moment où ils devaient se faire nourrir. Les dauphins auraient réussi à passer à travers un grillage qui aurait été saboté « par des mains humaines », selon les premières indications de la police de Bavaro, chef-lieu de la région.

Les quatre dauphins étaient toujours introuvables tard cette nuit.

Le Manatí Park avait reçu des menaces, ces derniers mois, attribuées à une mouvance environnementaliste radicale. La libération des dauphins «de la cupidité et de la stupidité de promoteurs» était à l'avant-plan de leurs revendications.

— Bordel!

Fin

Remerciements

Pour leurs précieux conseils et leurs excellentes idées, merci à Claude Beauregard, Annabelle Boyer, Anne Cormier et son chien Pop, Geneviève D'Amour, René Lewandowski, Carine Nahman et au Dr Martin Olivier.

Geneviève Cabana, son père Marcel et sa belle-mère Desneiges sont habillés par Diane Bérard.

Merci tout spécial à l'équipe professionnelle et dynamique de Guy Saint-Jean Éditeur, spécialement à Marie-Claire, Isabelle Longpré et Lydia Dufresne.

MARQUIS

Québec, Canada

Achevé d'imprimer le 30 janvier 2014

Imprimé sur du papier Enviro 100% postconsommation
traité sans chlore, accrédité ÉcoLogo et fait à partir de biogaz.